가는

영화 제목,

당신만 모르는 뜻

3

당신이 아는 영화 제목, 당신만 모르는 뜻 3

발 행 | 2024년 7월29일
저 자 | 허정혁
펴낸이 | 한건희
펴낸곳 | 주식회사 부크크
출판사등록 | 2014.07.15(제2014-16호)
주 소 | 서울특별시 금천구 가산디지털1로 119 SK 트윈타워 A동305호
전 화 | 1670-8316
이메일 | info@bookk.co.kr

ISBN | 979-11-410-9611-3

당신이 아는 영화 제목, 당신만 모르는 뜻

3

허정혁 지음

작가 소개

허정혁 (許正赫)

집안 내력대로 어려서부터 수학이나 과학과목은 싫어했고 소설과 역사를 좋아하여 국문과나 사학과에 가서 소설가나 역사학자가 되려고 했었지만 결국 아버지(서울대 기계공학과 졸업)와 같이 사회와 타협(?)하며 살기위해 고려대에서 경제학을 전공하였고, 순전히 운(?)으로 영국 외무성 장학금을 받아 경영전략을 전공으로 런던비즈니스스쿨(LBS)에서 MBA 과정을 공부했다. 용산 미8군에서 카투사로 군대생활을 마쳤고, 삼성전자 전략마케팅실, CJ주식회사 전략기획실, 동부그룹(現 DB그룹) 등에서 근무했다. 현재는 30여 년에 걸친 길다면 길고 짧다면 짧은 직장 생활을 뒤로 하고 독서와 집필에 전념 중이다.

CONTENTS

들어가며

"About face (뒤로 돌아!)"

'Drill sergeant(교관)'의 구령이 떨어지자 200여명의 카투사 훈련병들은 모두 어찌할 바를 몰라 우왕좌왕 중이었다. 교관께서 지시하신 명령은 "뒤로 돌아!"이건만 '우향우' 하는 인간, '좌향좌' 하는 놈, 그것도 아니면 멀뚱멀뚱 교관 얼굴만 보고 있는 녀석, 이건 정말 '당나라 군대'가 따로 없다.

"Oh, MY GOD, what the fXXX is that? Everybody drop, and give me 20! (아니, 이건 뭐 완전 개판이구만. 모두 엎드려 뻗쳐! 팔 굽혀 펴기 20개 하고 일어서!)" 다시 한번 미군 교관이 호통을 쳤건만 이번에도 제대로 알아 들었을 리가 만무! 뚱~하게 그냥 서있는 인간, 갑자기 쪼그려 앉는 놈, 난데없이 성조기에다 경례하는 녀석, '오합지졸'이란 바로 이들을 두고 하는 말이런가? 그런데 미국에서 대학을 다니다 입대한 훈련병 하나가 갑자기 엎드리더니 'Push-up (푸셥, 팔 굽혀 펴기)'을 하기 시작하자

어리둥절하던 훈련병들 모두가 그를 따라 하기 시작한다. 이윽고 스무 개의 팔 굽혀 펴기를 모두 마친 그가 벌떡 일어서자 모두들 다시금 그를 따라서 일어선다.

"OK, turtles, good job. Now let's try it again, about face! (음, 잘했어, 훈련병들. 다시 한번 해보자고. 뒤로 돌아!)"

이번엔 '눈치코치'로 용케 알아 들었는지 필자를 비롯한 카투사 훈련병들이 교관의 명령에 따라 제대로 움직이는 것 같다. 그런데 내 앞에 서있던 녀석이 뒤로 돌면서 내 발을 아주 세게 밟아버려 나는 "아악~"하는 비명과 함께 녀석을 확~하고 밀쳤는데...바로 그 때 필자는 사람이 아닌 침실 벽을 세게 밀치며 잠에서 깨고 말았다.

"아, 꿈이었구나. 어제 'About time'이란 영화를 보다가 나도 모르게 잠이 든 것 같은데...25년 전의 일을 꿈에서 보다니..."

시계를 보니 새벽 3시. 'Sleep(잠)'과 발음과 스펠링이 비슷한 'Sheep(양)'을 한 마리씩 세보며 다시금 잠을 청해 보건만, 엄청난 수의 양들이 계속해서 울타리를 뛰어 넘어와도 정신은 점점 더 또렷해지며 좀처럼 잠이 오지 않는다. 그러는 동안 머리 속을 스쳐가는 여러 가지 생각들. 25년 전인 1991년 2월에 처음 들었던 'About face'라는 영어 표현, 어제 본 'About time'이라는 영화, 근데 그 영화는 '시간 여행'을 주제로 한 흔해 빠진 영화들 중에서 보기 드문 수작(秀作)인 것 같아...근데 왜 제목이 'About time'일까, '시간에 관하여'라...그런데 바로 그 순간, 갑자기 필자의 뇌를 관통하는 것이 하나 있었으니, 그것은 바로 'about'의 뜻에 관한 것이었다. 영화 'About time'의 주인공은 자신이 원하는 사랑을 얻기 위해서라면 몇 번이고 시간을 '뒤로 되돌릴 수 있는' 능력을 가지고 있고, 'About face'라는 표현은 '얼굴에 관하여'라는 뜻이 아니라 '(군대 용어로) 뒤로 돌아'라는 뜻이다. 그렇다면 'About time' 또한 혹시 '시간을 (뒤로) 되돌리다'라는 뜻이 아닐까? 그 순간 필자는 뭐에 홀리기라도 한 듯 이불을 박차고(!) 일어나 영어 사전을 찾아 보았는데, 아니나 다를까, 'about'에 '반대 방향을 향하게 해서, 거꾸로 (in the opposite direction)'이라는 뜻이 있는 것이 아닌가! 아하, 그래서 'About face'가 '뒤로 돌아'가 되는 거구나! 필자가 카투사로 근무했던 29개월(!) 동안 수 천 번, 아니 수 만 번이 넘도록 듣고 말했을 텐데, 어찌 이 우둔한(!) 필자는 25년이나 지난 오늘(2016년)에 와서야 뒷북을, 아니 뒷머리를 치고 있는가? 그렇다면 'About time'의 의미 또한 좀 더 확실해 진다. 우리가 기존에 알던 '시간에 관하여'라는 뜻 외에 '시간을 거꾸로 돌리다'라는 뜻도 있는 것이다! 아, 이 얼마나 오묘하면서도 기가 막힌 영화 제목인가!

　　아니, 대체 왜 영화 제목과 관련된 책의 머리말에 난데없이 군대 얘기가 튀어나오냐고요? ^^. 위의 글은 제가 2021년에 출간한 '당신이 아는 영화 제목, 당신만 모르는 뜻1'이라는 책에서 발췌한 내용이고요, 위에서도 알 수 있듯이 유명한 영화의 제목에는 언뜻 봐서는 알 수 없는 숨겨진 뜻이 있는 경우가 참 많습니다. 예를 들어 이 책의 1편에서 소개한 영화 'Black Widow'는 사전적으로는 '검은 미망인'이지만, 생물학적으로는 '검은 과부 거미'를 의미하지요. 그리고 'Tell it to the bees'는 말 그대로 옮기면 '벌들에게 얘기하다'가 되겠지만, 풍년을 빌며 집 안의 모든 일을 벌들에게 얘기하던 유럽의 전통을 반영하고 있습니다. 또한 'The light between oceans'의 경우, 등대를 지키는 주인공의 직업을 암시하는 한편 양심과 이기심 사이에서 갈등하는 부부의 모습을 비유하기도 하지요. 마지막으로 이 책에서 소개하지는 않았지만 'Kiss of the Dragon'이라는 영화의 제목을 그대로 번역하면 '용의 키스'이지만, 숨겨진 뜻은 '단 한번의 공격으로 적을 살해할 수 있는 필살기(必殺技)'라고 합니다.

이 책 역시 1편과 같이 영화의 영어 혹은 한국어 제목의 숨겨진 의미를 소개해 드리는 책이고요, '21년에 출간된 '당신이 아는 영화 제목, 당신만 모르는 뜻'과 '23년에 출판된 '당신이 아는 영화 제목, 당신만 모르는 뜻2'의 속편, 아니 속편의 속편이 되겠습니다. 제가 게을러서(?) 속편은 잘 쓰지 않는데, 요즘 재미난 제목을 가진 영화가 너무나도 많이 쏟아져 나와 결국 제 본성을 무시하고 속편의 속편을 쓰게 되었습니다. ^^. 1편에서는 주로 할리우드 영화의 제목에 대한 내용이 대부분이었고 속편에서는 해외 영화 외에도 한국 영화의 영어 제목에 대한 내용도 함께 담았다면 이번에는 '동물'이 제목에 포함된 영화들을 엄선하여 그 제목의 뜻과 예고편에 나온 영어 표현의 속뜻에 대해 소개하는 내용을 주로 포함시켰습니다. 이를 통해 독자 여러분들이 좀 더 쉽고 재미있게 영어에 접근할 수 있기를 바라며, '당신이 아는 영화 제목, 당신만 모르는 뜻' 시리즈는 제가 할 수 있는 한 계속 해서 써 내려갈 예정으로, 이 책은 그 세 번째 타자가 되겠습니다. 앞으로도 많은 관심과 성원 부탁 드리겠습니다 ^^.

마지막으로, 제가 글을 쓸 때 반드시 지키려고 하는 원칙 3가지는 첫째, 재미있어야 하고, 둘째, 쉽게 읽을 수 있어야 하며, 셋째, 반드시 아름다워야 한다는 것입니다. 제 나름대로는 최대한 이러한 원칙을 지키면서 쓰려고 했지만, 독자 여러분들의 판단은 어떨지 모르겠습니다. 하지만 비록 졸작이라는 평가를 받는다고 해도 그에 아랑곳하지 않고 저는 계속해서 글을 쓸 것입니다. 왜냐고요? 글을 쓰는 순간만이 제가 살아 있다는 것을 느낄 수 있는 유일한 시간이며, 쓰지 않는다면 저는 더 이상 이 세상에 존재

할 이유가 없기 때문입니다. 권태와 무력감, 그리고 나태함으로 가득 찬 나 자신과의 싸움을 묵묵히 이겨내고 내 정신 세계의 파편들을 또다시 세상으로 떠나 보내는 나 자신에게 무한한 갈채를 보냅니다 ^^.

강남 테헤란로 한 복판에서 떠오르는 붉은 해를 바라보며,

2024년 여름의 초엽에, 작가 허정혁

제1장. Baby Reindeer : 'Baby Jane'

그리고 'Misery'

"Baby Jane, don't leave me hanging on the line(제인, 나의 사랑스런 애기야, 나 갈등 쫌 때리게 하지마), I knew you when you had no one to talk to(아는 사람 하나 없이 외톨이였던 널 내가 챙겨줬잖아), Now you're moving in high society(이제 출세 좀 했다고 나한테 이럴 수 있어?), Don't forget I know secrets about you(나만 아는 너의 비밀, 내가 다 까발릴 수도 있거든?), I used to think you were on my side but now I'm no longer sure (예전에 너와 난 하나인줄 알았는데 이젠 우린 정말 끝나버린 것일까)…"

이렇게 시작하는 영국의 원로(?) 가수 'Rod Stewart(로드 스튜어트)'의 1983년 노래 'Baby Jane(베이비 제인)', 혹시 아시는 분이 계실지요? 로드 스튜어트의 매력적인 허스키 보이스와 경쾌-발랄한 리듬이 거의 완벽에 가까운 조화를 이루는 노래이기에 그 내용 또한 자신의 여친인 'Jane'에 대한 절절한 사랑을 담은 곡으로 알고 있었건만…이 글을 쓰면서 가사를 주의 깊게 읽어봤더니 위와 같이 한 실연남이 이젠 소원해진 연인에게 늘어 놓은 불평 섞인 하소연이었네요? 하지만 단순한 하소연이라고 하기엔 수위가 좀 센 듯 한데요, 만일 그녀를 향한 거듭된 설득과 협박(?)이 먹히지 않으면 처음엔 스토킹을 시도하다가 이도 저도 안되면 '너 죽고 나 죽자'는 식으로 그녀의 비밀을 SNS 상에 폭로해버릴 지도 모를 일입니다. 이 노래의 주인공은 남자이건만 이와는 반대로 한 여성이 남자 개그맨을 스토킹하고 그의 일을 방해하는 것에 더해 자신의 사랑을 받아주지 않는 그에게 노골적인 분노를 쏟아내는 영화가 있습니다. 그 영화의 제목은 바로 'Baby Jane'과 제목이 비슷한 'Baby Reindeer(베이비 레인디어)'이고요.

여기서 이 영화의 줄거리를 간략히 소개해 보면, 'Donny(도니)'는 여친의 집에 얹혀 사는 무명의 스탠드업 코미디언인데요, 그가 일하는 런던의 술집에 'Martha(마사)'가 손님으로 오자 그녀에게 공짜 차를 대접하는 등 친절하게 대합니다. 헌데 단순한 호의를 애정으로 착각하고 그에게 집착하기 시작한 그녀는 도니를 'Baby Reindeer(내 사랑 순록)'라고 부르며 하루가 멀다 하고 수 백 통의 이메일을 보내는 것은 물론 그의 여자친구를 괴롭히는 등

도니의 일상을 완전히 무너뜨리게 되지요. 이렇듯 둘 간의 그다지 유쾌하지 않은 에피소드가 계속되다가 결국엔 파국을 맞이하게 됩니다. 자세한 내용은 영상을 통해 직접 확인하시기 바라며, 여기서는 이 영화 제목에 포함된 'Reindeer'라는 단어를 소개해 보도록 하겠습니다.

여러분들도 잘 아시다시피 'Reindeer'의 뜻은 '순록'이고요, 아마도 지구상에서 가장 유명한 순록은 'Rudolf(루돌프)'일 겁니다. 비록 그가 등장하는 캐롤의 우리 말 제목은 '루돌프 사슴 코'이지만 그의 본래 이름은 'Rudolf the red-nosed reindeer(코가 빨간 순록 루돌프)'이기에 루돌프는 (꽃)사슴이 아니라 순록입니다. 생물학적으로도 순록은 사슴이 아닌 노루에 더 가깝다고 하고요. 그리고 사슴과 순록의 가장 큰 차이점은 사슴은 숫컷만 뿔을 달고 있지만 순록은 성별과는 상관없이 암수 모두 뿔이 있다는 것이고요, 아울러 사슴의 몸길이가 보통 150cm 정도인데 반해 순록은 몸길이가 220cm에 이르고 체중도 사슴보다 **훨**씬 무겁습니다. 북극지방에 사는 사람들은 순록을 길러 고기와 가죽을 얻기도 하고 산타 할아버지처럼 순록이 끄는 썰매를 타고 다니기도 하지요. 그래서 저는 이 'Reindeer'가 썰매를 끄는 순록의 몸에 씌우는 'Rein(고삐)'과 'Deer'가 합쳐진 단어인 줄 알았는데 그건 아니고요, 본래 '뿔'이라는 뜻을 가진 북유럽어 단어인 'Hrein'에서 유래했다고 합니다. 성별과는 상관없이 모든 순록이 가지고 있는 큰 뿔을 머리 속에 떠올려 보시면 그 유래를 쉽게 짐작하실 수 있을 겁니다.

한편 극중에서 마사는 남자 주인공이 순록을 닮았다고 생각하는지 계속해서 그를 'Baby Reindeer'라고 부르는 것에 더해 "Got really manly hands(팔 근육이 정말로 예술이네요)", "Chiseled jawline (당신 턱 선은 정말로 깎아 놓은 조각상 같아요)" 등과 같은 음성 메시지를 그에게 계속 보내지요. 여기서 그만 하면 좋으련만, 심지어 육체적인 성추행까지 저지르게 됩니다. 영화의 예고편에 소개된 것과 같이 이 작품은 진정 'Typical bunny boiler story(여성이 남성을 스토킹하는 영화의 전형)'라고 할 수 있을 듯합니다. 이 'Bunny boiler'라는 표현은 1987년에 개봉한 'Fatal Attraction(위험한 정사)'이라는 영화에서 유래했다고 하는데요, 여자 주인공이 자신을 버린 남자에게 복수하기 위해 그가 키우던 토끼(Bunny)를 물이 펄펄 끓는 냄비(Boiler)에 넣어 버린 것에서 생겨났다고 합니다. 말 그대로 그녀는 'Bunny Boiler(토끼를 끓이는 사람)'인 것이죠...

그런데 이 두 영화 속 여주인공을 접하며 저는 지금으로부터 33년 전에 봤던 영화가 머리 속에 떠오르더군요. 기억하시는 분이 계실지 모르겠지만 그 영화의 제목은 다름아닌 'Misery(미저리)'입니다. 어찌 보면 이 영화에 등장하는 'Anny Wilkes(애니 윌크스, 이하 애니)'라는 캐릭터는 앞서 소개한 여주인공들보다 **훨씬** 더 정도가 심하다고 할 수 있는데요, 그 줄거리는 여러분께서도 잘 아시는 데로 '미저리'라는 여인이 등장하는 소설에 광적으로 집착한 애니가 소설의 원작자를 감금 및 고문하면서 자신이 원하는 데로 그 소설의 내용을 바꾸게 한다는 것이지요. 이 영화는 카투사로 군대에 다녀온 제가 지금은 사라진 용산 미군부대에서 봤던 제일 첫 번째 영화이기도 한데요, 미군부대에서 상영하는 영화에 한글 자막이 있을 리 없기에 당시만 해도 별볼일 없었던 제 영어 리스닝 실력을 총동

원해서 정말로 열심히 들었습니다만...흘러가는 전체 스토리는 알겠는데 세세한 내용은 도통 모르겠더군요. 그런데 여주인공이 광분하며 무차별적인 폭력을 휘두르는 이유를 모르니 더더욱 소름이 끼치는 겁니다. 언제 어디서 잔인한 장면이 나올 지 예상이 전혀 안되는 것은 물론이고요. 이 글을 쓰다 보니 갑자기 30여 년 전의 악몽이 되살아 나는 듯 한데요? ^^. 이 영화의 주인공인 'Kathy Bates(캐시 베이츠)'는 2002년 작 'About Schmidt(어바웃 슈미트)'라는 작품을 통해 저를 또 한번 경악시켰는데요, 남자 주인공인 'Jack Nicholson(잭 니콜슨)'과 함께 욕탕에 들어가는 장면은 정말로 '미저리'에서 남자 주인공의 발목을 도끼로 날리는 것만큼이나 충격적이었죠. 여기서 구체적으로 설명하기는 좀 그러하니 직접 영화를 보시며 확인하시기 바랍니다. 여담입니다만 이 영화에 등장하는 소설 속 여주인공의 이름인 'Misery'는 언뜻 현실에는 존재하지 않는 가상의 이름인 것 같지만 실제로 남북전쟁이 일어나기 전의 미국에서 남자 노예들에게 붙여진 이름 중 하나였다고 합니다. 어찌 보면 노예들의 비참한 생활을 비꼬는 투로 갖다 붙인 이름인 것 같기도 하지만 조선시대 양반들도 액땜을 목적으로 자식의 아명(兒名)을 '개똥이'라고 짓기도 한 것에 비추어 볼 때 "이 아이는 노예로 태어나 이미 충분히 불행하니 이제 인생에서 더 이상의 비극(Misery)은 일어나지 않게 해주십시오"라는 기원을 담고 있다고 볼 수도 있을 것 같습니다.

자, 그럼 여기서 이 장의 문을 열었던 'Baby Jane'으로 다시 돌아가 보도록 합시다. 앞서 소개한 이 노래의 가사 중 '~don't leave me hanging on the line~'이라는 표현을 저는 '나 갈등 쫌 때리게 하지마'라고 해석했지만 본래 'on the line'은 '위태위태하다'란 뜻입니다. 언뜻 그 의미가 잘 와 닿지 않을 수도 있지만 외줄 위에서 아슬아슬하게 묘기를 부리는 곡예사를 머리 속에 떠올려 보면 어렴풋하게라도 그 뜻을 짐작 할 수 있지요. 이 노래의 화자(話者)나 'Baby Reindeer'의 여주인공, 그리고 앞서 소개한 두 영화의 여주인공들은 모두 그 심리 상태가 말 그대로 'on the line'하다고 하겠습니다. 비록 아주 가느다란 줄이라도 그 줄을 타고 앞으로 무사히 걸어 나갈 수만 있으면 좋으련만 자칫 미끄러져 추락하기라도 한다면 본인뿐 아니라 주변 사람들의 목숨마저 위태롭게 할 수 있을 것 같습니다. 그렇다면 이들의 불안한 심리상태와 상대방에 대한 끝없는 집착은 대체 어디서 시작된 것일까요? 제 생각에는 아마도 낮은 자존감에서 비롯된 '이 사람을 놓치면 이제 모든 것이 끝이다'라는 잘못된 망상에서 시작된 것 같습니다. 그리고는 자신에게 별다른 매력이 없다고 스스로 단정해 버림과 동시에 이 사람만은 무조건 잡아야겠다고 생각하고는 물불 안 가리고 육탄공세를 퍼붓는 것을 넘어 상대방에게 정신/육체적으로 치명적인 피해를 입히는 것이죠. 음, 이런 잘못된 생각을 갖고 계신 분들에게 '그때 그 시절 우리가 좋아했던 소녀'라는 대만 영화에 나오는 명대사 하나를 소개해 드리고 싶습니다. 그것은 바로 "반드시 그 사람이어야만 한다는 생각을 버릴 때 비로소 우리는 어른이 된다"는 것이죠. 굳이 대만 영화까지 들먹일 것도 없이 한국 가왕(歌王)이 부른 노래 중에도 '지구의 반은 남자, 지구의 반은 여자'라는 가사가 있지 않습니까? 자신은 물론 상대까지도 파멸시킬 수 있는 잘못된 망상과 광기 어린 집착은 이제 버리시고요, 어느 팝송 가사처럼 'Find someone new (새로운 대상 찾기)'를 위해 자기 자신의 내적/외적인 매력을 먼저 가꾸시기 바랍니다. 'Baby Reindeer'는 여기까지만 하기로 하고요, 앞서 소개한 '루돌프'를 타고 다니는 산타 할아버지의 고향인 핀란드에서는 순록 스테이크를 많이 먹는다고 하는데 대한민국에 사는 우리는 'Beef Steak(소고기 스테이크)'를 많이 먹지요. 다음 장에서는 한국인들이 좋아하는 'Beef'를 제목으로 한 영화로 넘어가 보도록 하겠습니다.

제2장. Beef : 소고기와 도둑놈이

무슨 상관?

"경제고 뭐고 다 필요 없는기라, 대한민국 경제 좋으면 뭐 할끼고, 국민들 모두 기분 좋다고 소고기 사묵겠지. 소고기 묵고 힘 내 일해가 돈 많이 벌면 뭐 할끼고, 돈 많이 벌면 기분 좋다고 또 소고기 사묵겠지..."

몇 년 전 폐지됐다가 최근 다시 방영을 시작한 한 개그 프로그램의 '어르신'이라는 코너, 혹시 기억 나시는지요? 이 코너에는 연로하신 시골 노인 한 분이 등장해서는 경제가 좋던, 기분이 좋던, 돈을 많이 벌던 간에 인간의 모든 욕망은 죄다 소고기 사먹는 것으로 귀결된다고 거듭 거듭 강조하십니다. 일평생 극심한 빈곤에 시달리셔서 이 세상 떠나기 전에 단 한번만이라도 배 터지게 소고기 한 번 드시는 것이 소원이신지 연방 소고기 타령만 하시다가 코너가 끝나버리지요. 언뜻 소고기를 빌미로 이제는 영영 돌아오지 않을 과거에 대한 한탄을 하시는 것 같기도 하고, 혹은 일 열심히 하고 돈 많이 벌어봐야 인생 별거 없다는 삶에 대한 냉소적인 태도를 보여주시는 것 같기도 합니다. 하지만 좀 긍정적으로 생각해 보면 돈이나 직업 같은 세속적인 것들을 진작에 초월해 이젠 완벽한 달관의 경지에 이르신 우리 시대의 진정한 '어르신'이신 것 같기도 하고요. 이 어르신께서 좋아하시는 '소고기'에 해당하는 영어 단어는 다름아닌 'Beef'인데요, 지금부터는 이 단어를 제목으로 한 영화와 'Beef'의 숨겨진 뜻에 대해서 알아보도록 하겠습니다.

영화 제목이 'Beef'이기에 소고기 전문 셰프가 주인공으로 나오거나 혹은 소고기를 주제로 한 먹방 영화가 아닌가 하는 생각이 들기도 하지만 이 영화에는 '성난 사람들'이라는 부제가 떡~하니 붙어 있습니다. 그렇다면 이 영화 제목의 숨겨진 뜻을 알기 위해서는 그 줄거리부터 먼저 살펴봐야 될 것 같군요. 집안 및 돈 문제로 골머리를 앓고 있는 한국계 미국인이자 배관공인 '대니'는 마트 주차장에서 차를 빼다가 성공한 사업가지만 역시 가족과 사업에 치여 사는 중국-베트남계 미국 여성인 '에이미'가 몰던 차와 부딪힐 뻔 합니다. 누구에게나 흔히 일어날 수 일이건만 걷잡을 수 없는 분노에 휩싸인 그는 그녀의 집 주소를 알아내 나름 통쾌한 복수를 하지요. 하지만 에이미 또한 호락호락하게 당하지 않고 대니에게 보복을 합니다.

그렇게 복수가 복수로 이어지면서 사소한 해프닝으로 끝날 수도 있던 사건이 둘 간의 '복수혈전'이 되어 버리지요. 음, 이쯤 되면 'Beef'에 숨겨진 속 뜻을 여러분들께서도 알아차리셨을 것 같은데요, 짐작하시는 바와 같이 '싸움(Argument 혹은 Fight)', '적의(Grudge)', '문제(Problem 혹은 Disagreement)' 등의 의미가 되겠습니다. 가령 "I have a beef with my boss"라고 하면 "I have an argument/a problem with my boss'라는 뜻으로 우리말로는 "나 요즘 상사랑 사이가 안좋아" 혹은 "나 상사랑 심각한 문제가 있어"가 되겠습니다. 만일 이 단어의 숨겨진 뜻을 몰랐다면 저는 아마 이 문장을 "나 지금 상사랑 소고기 먹고 있어"라고 번역했을 것 같습니다. ^^.

음, 그렇다면 '소고기'라는 가치 중립적인 뜻을 가진 'Beef'는 어쩌다 이런 나쁜(?) 뜻이 되어 버린 것일까요? 언뜻 여러 사람이 소고기를 같이 먹다가 마지막 남은 한 점을 서로 먹으려고 다툰 유치한 사건에서 유래한 것 같기도 하지만 그건 아니고요, 영국 런던 사람들이 지금 막 닥쳐오는 위험을 타인에게 알려주기 위해서 "Hot beef!"라고 소리친 데서 유래했다고 합니다. 즉, 소매치기가 자신의 지갑을 털어가는데 전혀 눈치를 채지 못하거나 혹은 어디선가 갑자기 튀어나온 자동차에 치일 상황에 놓인 사람에게 그들은 "Hot beef!"라고 소리쳐 사건의 위급성을 알렸다는 것이죠. 음, 그렇다면 또 한 가지 의문점이 머릿속에 생겨납니다. 그건 바로 하고 많은 감탄사 중에 대체 왜 '뜨거운 소고기!'라고 소리 쳤냐는 것이죠. 그 어원을 찾아보니 본래 런던에서는 이런 상황에서 "Stop thief!"라고 소리쳤었는데 점차 이와 발음이 비슷한 'Hot beef!'가 되었다는 겁니다. "Stop thief!"는 말 그대로 "거기서! 도둑놈아!" 혹은 "도둑질 그만두지 못해, 이 도둑놈아!"라는 뜻이기에 전혀 예상치 못한 절도 사건이 벌어졌을 때 피해자나 목격자의 입에서 반사적으로 튀어나오는 외침이 되겠지요. 18세기 초에는 이 같은 경고성 외침이었던 '(Hot) Beef'는 점차 '소리지르다(Shout)', '불평하다(Complain)'라는 뜻을 갖게 되었고, 명사로는 앞서 소개한 것과 같이 '불만', '불화', '문제' 등을 의미하게 되었다고 합니다. 결론적으로 'Beef'가 '성난 사람들'이라는 영화의 제목이 된 것은 '소고기'라는 뜻과는 전혀 상관없이 단지 이 단어의 발음이 "Thief"와 비슷하기 때문이라는 것이지요. 우리말에도 이와 유사한 경우를 찾아 볼 수 있는데요, 욕설과는 전혀 상관없는 '십장생(十長生)'이란 단어가 모 욕설과 발음이 비슷하다는 이유 하나만으로 대놓고 욕을 내뱉기 어려운 상황에서 욕설 대용어로 사용되지 않던가요? 어쨌거나 제 판단에 이 'Beef'는 참 잘 지은 영화 제목으로 보이는데요, 왜냐면 흔하디 흔한 'Argument', 'Problem' 혹은 'Grudge'와 같은 단어를 제목으로 정했다면 팬들이 식상하기 그지없다고 느꼈겠지만 제목이 'Beef'이기에 꽤나 참신한 것은 물론 그 숨겨진 뜻에 대해 적지 않은 호기심을 불러일으키기까지 하니 말이죠.

그런데 위의 '(Hot) Beef'라는 표현은 근대인 18세기경부터 사용되기 시작했기에 상대적으로 신생 단어라 할 수 있지만 역사적으로도 'Beef'는 사회 전체적인 불평등에 대한 영국인들의 불평 불만이 함축된 단어라 할 수 있습니다. 지금으로부터 약 천 년 전인 11세기 후반 프랑스 출신의 'William the Conqueror(정복자 윌리암)'가 영국을

침공한 이후 영국 왕실은 수 백 년 동안 프랑스계 왕이 계승하였고 귀족 계층 역시 프랑스계들이 독점하다시피 했지요. 그들은 당연히 프랑스어만 사용했고 기존의 영국 귀족 및 농민들이 갖고 있던 땅을 빼앗아 그들의 영지로 삼았다고 합니다. 땅을 빼앗긴 영국인들은 프랑스계 귀족들의 땅을 부치는 소작농이 되거나 귀하신 분들께서 드실 가축을 기르게 되었고요, 그리하여 가축 이름은 'Cow', 'Pig', 'Lamb'과 같이 본래 영국 토착민이었던 앵글로 색슨족의 언어에서 유래한 반면 고기의 명칭은 'Beef', 'Pork', 'Bacon', 'Mutton'과 같이 프랑스어에서 유래한 단어들이 득세하게 되었다고 합니다. 가축을 뼈 빠지게 키우는 것은 자신들인데 그 결과물인 고기는 프랑스계 귀족들에게 다 갖다 바쳐야 하니 영국인들은 당연히 'Beef'라는 단어에 단순한 불평 불만 정도가 아닌 피눈물 나는 한이 맺혔겠죠. 비록 'Beef'라는 단어가 '싸움', '불평'이라는 뜻을 갖게 된 이유가 이러한 역사적인 사실과는 별다른 관련이 없지만 'Beef'라는 단어에 맺힌 앵글로 색슨족의 한이 이러한 'Beef'의 뜻으로 되살아 난 것이 아닌가 하는 생각을 하게 됩니다.

　자, 그럼 여기서 다시 소고기를 좋아하시는 어르신의 얘기로 다시 돌아가 보도록 합시다. 개그 코너에 등장하신 어르신께서는 시종일관 소고기 타령을 하셨지만 예전 우리가 어렵게 살던 1970~1980년 대에는 개고기도 참 많이 먹었었지요. 하지만 이제 개는 가족의 일원인 것을 넘어 사람이 끄는 개모차에 편히 몸을 싣고 산책을 하는 등 의식주 모두에서 극진한 대접을 받고 있으니 세상이 바뀌어도 참 많이 바뀐 것 같습니다. 게다가 2027년부터는 개고기 식용이 완전 금지될 예정이라 이제 더더욱 개들의 전성시대가 되지 않을까 하는 생각이 드는 걸 피할 수 없네요. 자, 그럼 이 책의 3장부터는 총 네 개 장에 걸쳐 지금도 행복하지만 앞으론 더더욱 행복해질 개(Dog)가 제목에 포함되거나 개의 이름을 제목으로 한 영화를 소개해 보도록 하겠습니다.

제3장. Dogman : '개 같은 인간' 아니면 '개를 사랑하는 남자'?

"Newspaper delivery personnel? Ah, you mean 'Newsman'(일간지 배달 인력? 아, 신문배달원을 말하는 거구만)!"

지금으로부터 약 30년 전인 1990년대 초, 당시 저는 용산 미군기지에서 카투사 MP(Military Police, 헌병)로 복무 중이었습니다. MP들은 하루는 패트롤카를 타고 용산기지 곳곳을 순찰했고 하루는 게이트(Gate, 출입문)에서 군인이나 민간인들의 출입을 통제하는 업무를 했었죠. 아마 제가 일병으로 진급한 지 며칠 후였을 겁니다. 그 날은 지금은 철거된 한남동 미군 숙소 (Hannam Village, 한남 빌리지)의 한 게이트에서 근무 중이었는데, 한국 신문을 배달하시는 분이 게이트로 오더니 이 곳에 사는 한국계 미군들에게 (한국) 신문을 배달하기 위해서는 출입증이 필요하니 출입증 발급을 위해 필요한 서류가 뭔지 알려달라고 하더군요. 그래서 제가 저희 'MP Supervisor (헌병대 당직 하사관)'에게 내용을 확인해서 다음 근무자에게 인계해 놓을 테니 내일 같은 시간에 다시 오라고 했죠. 그래서 당직 하사관이던 'Staff Sergeant Bourns(번즈 하사)'에게 무전기로 한국 민간인이 미군 숙소 출입증을 발급 받기 위해 필요한 서류가 뭔지 물어보려고 했습니다만...영어로 '신문

배달원'이 뭔지 당최 머리 속에 떠오르지가 않는 겁니다. 그래서 한참을 고심한 끝에 'Newspaper delivery personnel'이라고 했더니 약 3초 간 침묵하던 그는 "Ah, you mean 'Newsman'!"이라고 대꾸하더군요. 그리고는 저한테 필요한 서류가 뭔지 말해줄 테니 받아 적으라는 겁니다. 아, 바로 그때 제 머리 속에는 'Easy does it (너무 어렵게 생각하지 말고 찬찬히 해)!"이라는 말이 떠오르면서 영어든 뭐든 너무 어렵게만 생각하면 안되겠다는 걸 온 몸으로 깨달았습니다! 물론 세상 만사를 너무 우습게 봐도 안되겠지만 생각이 엄청 많아지면 될 일도 안된다는 것을 말이죠. 그래서 그 날 이후부터는 미군들과 소통할 때 너무 어려운 (영어) 단어보다는 쉬운 단어를 적재적소에 사용하기 위해 물심양면 노력했습니다만...영어라는 게 생각만큼 그렇게 빨리 늘지가 않더군요. 내심 '그래도 많이 늘었네'하고 느낀 것이 그로부터 거의 1년 후인 상병 말호봉 때였으니 말이죠...

　　미국 미시시피 출신의 번즈 하사는 'Newsman'을 비록 '신문 배달원'이라는 뜻으로 사용했습니다만 이 단어는 대개 '기자', '저널리스트', '(뉴스) 앵커' 등 뉴스와 깊은 관계가 있는 직종에 종사하는 사람을 가리킵니다. 보통 '신문 배달원'은 영어로는 'Paperman'이라 하고요, 영국이나 미국 등에서는 청소년들이 신문 배달을 많이 하기에 'Paperboy'라고도 부르지요. 현재는 인터넷이 널리 보급되어 거리에서 신문 파는 사람을 거의 찾아 볼 수가 없습니다만 이들은 'Newspaper hawker'라고 합니다. 'Hawk'이 명사로는 광활한 창공을 날아다니는 '매'를 뜻하지만 동사로 쓰일 때는 '가가호호 방문해서 물건을 팔다'라는 뜻이기에 그런 것이죠. 참고로 'Hawker'는 신문배달원과 같이 신문을 품에 안고 다니던가 혹은 보부상같이 등에 짐을 지고 다니면서 상품을 파는 상인을 가리키고요, 반면 수레나 말에 물건을 싣고 다니면서 파는 사람들은 'Peddler'라고 합니다.

　아, 서론이 좀 길었는데 이번 장의 주인공은 'Newsman'이라는 단어와 같이 제목에 'man'이 들어간 'Dogman(도그맨)'이 되겠습니다. 일반적으로 'Dogman'은 개를 굉장히 사랑하는 개 애호가나 혹은 한때 소위 '개통령'으로 불리던 모 씨와 같이 개를 훈련시키는 것을 직업으로 삼은 사람을 일컫지요. 그럼 여기서 잠시 영화 'Dogman'의 줄거리를 살펴 보겠습니다. 투견용 개를 기르지만 개들에게 잔학한 학대를 일삼는 아버지 밑에서 자란

'Douglas(더글라스)'는 아버지의 명을 어기고 개들에게 밥을 주다가 그가 쏜 총에 맞아 반신불구가 되고 맙니다. 그 후 그는 백 마리가 넘는 개를 홀로 키우며 개들과 함께 보석 절도를 저지르는 한편 위험에 처한 사람을 돕기도 하고, 여장 남자 쇼에서 배우로 활약하기도 하지요. 그러다 그의 정체 및 거처가 탄로나며 그와 개를 없애려는 악당들과 목숨을 건 싸움을 벌이게 되는데...여기까지가 아주 간략하게 이 영화의 내용을 정리한 줄거리이고요, 실제 영화는 이보다 훨씬 더 복잡하고 음울하게 전개됩니다. 여담입니다만, 이 영화의 주인공 이름은 'Douglas Munrow'인데요, 'Douglas'의 애칭은 'Doug'이기에 그가 사랑하는 'Dog'과 철자와 발음이 유사하지요. 아마도 감독은 주인공인 'Doug'이 'Dog'과 일심동체(一心同體)라는 것을 나타내기 위해 의도적으로 그의 이름을 'Douglas'라고 지은 것 같습니다. 흠, 헌데 스코틀랜드에서 유래한 'Douglas'라는 이름은 본래 'Black River(검은 강)'라는 뜻이라고 하네요. 왠지 이 영화 주인공의 약간은 음울하면서도 비밀스러운 이미지와도 잘 맞아 떨어지는 것 같습니다.

한편 'Dogman'과 같이 동물의 명칭에 'man'이 붙은 단어로는 'Pigman', 'Catman', (일반적으로 'Cowboy'로 널리 알려진) 'Cowman' 그리고 'Horseman' 등이 있습니다. 이러한 단어의 대부분은 앞서 소개한 대로 대상이 되는 동물을 좋아하거나 사육하는 사람을 뜻합니다만 이 중 'Horseman'은 보통 말을 타고 달리는 '기수(騎手)'를 의미한다고 합니다. 그리고 이 영화와 마찬가지로 동물의 명칭에 'man'이 붙은 단어를 제목으로 한 영화로는 여러분들이 잘 아시는 'Batman', 'Spiderman', 'Elephant man' 등이 있습니다만 이들 단어의 뜻은 앞서 소개한 'Dogman'이나 'Cowman'과는 조금 다릅니다. 'Batman'은 박쥐를 키우거나 좋아하는 사람이 아닌 박쥐의 어두움과 이중성을 두루 갖춘 박쥐의 복장을 한 슈퍼 히어로이고, 'Spiderman'은 거미에게 물린 후 거미의 여러 가지 능력이 극대화된 초능력을 갖게 된 캐릭터이지요. 반면 'Elephant man'은 선천적으로 '신경 섬유종증'이라는 병을 갖고 태어나 단지 그의 외모가 코끼리를 떠올리게 한다는 이유로 이 같은 별칭으로 불린 한 영국 남성의 이야기를 다룬 영화가 되겠습니다.

추가로 동물의 명칭은 아니지만 단어 뒤에 'man'이 붙은 영화 제목과 그 뜻을 소개해 보면,

①Ironman : 이 분은 너무 유명해서 따로 소개할 필요가

없을지도 모르겠습니다만 한마디로 '강철 사나이'라고 할 수 있습니다. 역사적으로 유명한 지도자 중에 '강철'이라는 이름을 가진 인물이 몇 명 있는데요, 소련의 독재자였던 'Stalin(스탈린)'은 본래 '이오시프 비사리오노비치 주가시빌리'라는 아주 긴 이름을 가지고 태어났지만 나중에 러시아어로 '강철'이라는 뜻인 'Stalin'으로 개명했고요, 몽고의 지배자였던 '칭기즈 칸'의 본명은 '테무진(鐵木眞)'으로 이 역시 몽골어로 '강철'이라는 뜻이지요. 좋게든 나쁘게든 역사에 커다란 족적을 남긴 '스탈린'이나 '칭기즈 칸(테무진)' 모두 영어로는 'Iron Man'이라고 할 수 있겠습니다.

②Aquaman : 인간과 여신 (아틀란티스의 여왕) 사이에서 태어난 혼혈로서 온갖 역경을 극복하고 해상 왕국인 아틀란티스의 왕이 되는 캐릭터입니다. 라틴어에서 유래한 'Aqua'가 본래 'Water', 'Sea'라는 뜻이기에 'Aquaman'은 사전적으로는 '바다 사나이'라는 뜻이지만 영화 제목임을 감안하여 조금 의역하면 '바다의 제왕' 혹은 '바다의 정복자'가 되겠습니다.

③Family man : 이 단어는 비록 처음 보셨더라도 그 의미를 대충 짐작할 수 있으실 거예요. 네, 그렇습니다, 그 뜻은 '가정적인 남자', 즉, '가정에 충실한 남자'이고요, 아내

및 자식들과 함께 많은 시간을 보내는 것은 물론 가족을 성심 성의껏 섬기는 남자가 되겠습니다. 이런 남자들이 재미는 좀 없을 지 몰라도 가족들한테는 인기가 아주 많죠. ^^.

④Hollow man : 'Hollow'는 그리 자주 볼 수 있는 단어는 아닙니다만 여러분들이 잘 아시는 'Empty'의 동의어입니다. 따라서 'Hollow man'의 글자 그대로의 뜻은 '텅 빈 남자'이고요, 숨겨진 의미는 '인간미가 없고 (타인과의) 공감 능력이 떨어지는 남자'라고 합니다. 악하다고 할 수는 없지만 그렇다고 선하지도 않은 남자이죠.

이 외에도 이러한 류의 영화 제목으로는 'Superman', 'Invisible man', 'Dead man' 등이 있습니다만, 이미 널리 알려져 있거나 혹은 다들 잘 알고 계신 단어이기에 그냥 넘어가도록 하겠습니다.

자, 이제 다시 1990년대 초의 용산 미군기지로 다시 돌아가 보도록 합시다. 당시 'Private First Class Hur (허 일병)'는 'Newsman' 혹은 'Paperman'이라는 단어를 몰라서 엄청난 시련(?)을 겪었습니다만 (미군) 군대 용어에도 이 'man'이 포함된 단어가 있으니 그것이 바로 'baseman'이 되겠습니다. 이는 바로 모든 부대원이 집합하여 정렬할 때 그 '기준'이 되는 사람을 가리키는데요, 아주 오래 전 우리나라의 중고등학교 체육시간에도 기준이 되는 학생이 오른손을 높이 쳐들며 큰 소리로 "기준!"하고 외치기도 했었죠. 이처럼 많은 사람들이 집합해서 줄을 설 때 그 기준이 되는 사람이 바로 'Baseman'이 되겠습니다. 아마 야구를 좋아하시는 분들은 이 단어에 아주 익숙하실 겁니다. 왜냐면 야구에서 1루수는 'First Baseman', 2루수는 'Second Baseman', 3루수는 'Third Baseman'이라고 부르기 때문이죠. 또한 '야구'를 의미하는 'Baseball' 역시 'Base'에서 유래한 것이기도 하고요. 마지막으로 영어로 "모두 집합!"이라는 구호는 영어로 "Fall in!", '모두 해산!'은 "Fall out!"이니 참고로 알아두시기 바랍니다. 자, 이제 이 장을 마칠 때가 온 것 같은데요, 이 장의 주인공은 'Dog'이건만 써놓고 보니 개가 아닌 개의 가장 친한 친구인 'Man'에 대한 내용이 대부분이었네요. 이에 대한 보상으로 다음 장은 모조리 'Dog'과 관련된 내용으로 가득 채우도록 하겠습니다. 미안해, 강아지야! ^^.

제4장. Dog Days(도그데이즈) :

삼복더위랑 개가 무슨 상관?

앞 장에서 야구와 관련된 얘기를 잠깐 했었는데, 이번 장은 야구와 더불어 미국에서 가장 인기 있는 스포츠 중 하나인 농구와 관련된 얘기로 시작해 보도록 하겠습니다. 지금까지 NBA(전미농구협회)에서 우승했던 수많은 팀들이 있었지만 그 중에서도 저는 1990년 대에 미국 농구계, 아니 전세계 농구계를 평정했었던 'Chicago Bulls(시카고 불스)'를 역대 최강팀으로 꼽고 싶습니다. 소위 '농구의 신(神)'이라 불리는 'Michael Jordan(마이클 조던, 이하 조던)'이 이끌던 이 팀은 1990년대 초에 3번의 우승을 하고 나서 그가 잠정 은퇴했던 몇 년간 잠시 침체기를 겪은 후 조던이 복귀한 1990년대 말에 다시 3개의 우승컵을 차지했었죠. 당시 이 팀의 스타팅 라인업은 앞서 소개한 '조던'과 역사상 최고의 스몰 포워드로 손꼽히는 조던의 단짝 'Scottie Pippen(스카디 피펜)', 당대 최고의 슈팅 가드였던 'Ron Harper(론 하퍼)', 팀을 잘 만나 실력보다 심하게 과대평가됐다는 주장이 있기도 했지만 나름 제 몫은 했던 센터 'Luc Longley(룩 롱리)', 득점력도 성격도 별로였지만 리바운드만은 기가 막히게 잡았던

'Dennis Rodman(데니스 로드맨)'으로 구성되어 있었습니다. 최근 이들의 이야기를 다룬 'The Last Dance(더 라스트 댄스)'라는 다큐멘터리가 큰 인기를 얻기도 했습니다만 이들이 경기장에 입장할 때면 스타디움에 크게 울려 퍼지던 노래가 있었으니, 그 곡이 바로 1980~90년대에 전세계적으로 이름을 떨친 영국 그룹 'The Alan Parson's Project(알란 파슨스 프로젝트)'의 'Sirius(시리우스)'입니다. 비록 현재 '시카고 불스' 농구팀의 실력과 명성은 예전만 못합니다만 아직도 이 팀 선수들이 입장할 때면 이 연주곡이 흘러 나오더군요. 인터넷 등에서 찾아 들어보시면 아시겠습니다만 지금 들어도 이 곡은 굉장히 모던하면서도 장중한 느낌이기에 세상에 나온 지 무려 40년이나 지난 작품이라고는 절대 믿어지지 않습니다. 아울러 눈을 감고 이 연주곡을 듣고 있노라면 제 자신이 마치 (농구) 스타가 된 것만 같은 말도 안 되는 착각에 빠져들기도 하지요. 네? 이 장의 주인공은 'Dog Days(도그 데이즈)'라는 영화이건만 왠 농구랑 팝송 타령이냐고요? 그 이유는 바로 이 'Sirius'와 이 장의 제목인 'Dog Days'가 뗄래야

뗄 수 없는 밀접한 관계이기 때문입니다. ^^.

 말 그대로 'Dog Days'는 '개의 날(들)'이란 뜻이지만 그 속에는 '찌는 듯이 더운 여름 날(들)'이라는 의미가 숨어있고요, 그 유래는 고대 그리스까지 거슬러 올라갑니다. 그리스나 이탈리아 같이 지중해 연안에 위치한 나라들은 영어로는 'Dog Star(개 별)'인 'Sirius'라는 별이 태양과 함께 나타나는 7월말부터 8월 중순까지가 가장 더웠다고 합니다. 그래서 그들은 이 기간을 'Dies Caniculares'라고 불렀는데 이는 영어로는 'Days of the Dog Star(개 별의 날들)'이고요, 이 말이 축약 되면서 지금의 'Dog Days'가 되었다고 하네요. 따라서 'Sirius'는 'Dog Days'의 머나먼 조상님 뻘이 되시겠습니다.

 그럼 여기서 잠시 이 영화의 줄거리를 살펴보도록 하지요. 리조트 회사 직원이면서 건물주인 '민상'은 자신의 건물에 입주한 동물병원의 수의사인 '진영'과 사사건건 부딪힙니다. 그런데 세계적인 건축가이자 프렌치 불독 '완다'의 주인인 '민서'가 이 동물 병원의 고객임을 알게 된 그는 새로운 리조트에 대한 조언을 얻기 위해 '진영'에게서 그녀의 연락처를 얻어내려고 합니다만 개들에 대한 '민상'의 태도가 바뀌어야만 연락처를 줄 수 있다는 수의사의 말에 그는 유기견을 돌보는 등 마음에도 없는 노력을 하게 되지요. 한편 '민서'의 집을 나왔다 길을 잃어버린 '완다'는 '지유'라는 소녀에게 발견되어 그녀 가족의 보살핌을 받게 되고, 건축가인 '민서'의 도움이 절실했던 '민상'은 이 개를 찾아 나서게 됩니다...이 영화의 광고문안처럼 이 작품이 정말로 "기분 '개' 좋은 영화"인지의 여부는 영상을 통해서 직접 확인해 보시기 바라며, 지금부터는 이 영화와 마찬가지로 제목에 'Dog'이 들어간 작품과 그 제목에 숨겨진 뜻을 소개해 보도록 하겠습니다.

①'Reservoir Dogs' : 이 말은 본래 '저수지에 빠진 개'가 아니라 물탱크(Reservoir tank)에 빠져 살려달라고 맹렬히 짖어대는 개를 의미한다고 합니다만 속어로는 '경찰 정보원' 혹은 '(범죄자 중 범죄 내용 혹은 계획을 경찰에게 털어 놓는) 밀고자'를 의미한다고 합니다. 즉, 비유적으로 '물탱크'는 '범죄를, 그리고 '개'는 범죄자를 나

타내고, (개가) 열심히 짖어 대는 것은 자신의 생존 혹은 이익을 위해 경찰에게 밀고(혹은 정보 제공)하는 것이 되겠지요. 참고로 '밀고자'를 뜻하는 또 다른 영어 단어로는 'Rat'이 있습니다.

②Wag The Dog : 이 표현은 본래 'The tail wags the dog'입니다만 보통 줄여서 'Wag the dog'이라고 하는데요, 직역하면 '(꼬리가) 개를 흔들다'이기에 언뜻 봐도 주인과 손님이 뒤바뀐 '주객전도(主客顚倒)'와 비슷한 상황이란 것을 알 수 있습니다. 현실에서는 개가 꼬리를 흔들지만 이와는 달리 꼬리가 개를 흔드는 것이라서 부하가 상사에게 이래라 저래라 하는 하극상, 별로 중요하지 않은 것이 전체를 좌지우지하는 어처구니없는 상황 등이 이에 해당된다고 하겠지요. 그리고 경제 용어로는 주식 시장의 꼬리 격인 선물(先物)이 몸통인 현물(現物)을 좌지우지하는 현상을 지칭하고요, 정치용어로는 여론의 지배를 받아야 할 정치권이 이와는 반대로 여론을 호도하는 현상을 가리키기도 하지만 좀 더 심한 경우에는 정치 생명이 끝날 위기에 처한 권력자가 대중을 속이기 위해

연막을 치는 등의 정치 사기극을 뜻하기도 합니다.

③Dog Eat Dog : 이 제목 역시 위의 'Wag The Dog' 과 마찬가지로 얼핏 봐도 그 뜻을 대강 짐작할 수 있는 데요, 말 그대로 개가 개를 잡아먹는 것이기에 정말로 치열하면서도 피도 눈물도 없는 상황이라는 느낌이 팍~ 오지요. 이 표현은 대부분 'dog-eat-dog'과 같이 써서 '치열하게 다투는', '(자신의 이익을 위해서라면) 범죄라도 서슴지 않는' 등의 뜻이고요, 예를 들어 'dog-eat-dog society (혹은 world)'는 하루가 멀다 하고 치열한 경쟁과 아귀다툼이 벌어지는 사회 (혹은 세상)을 의미합니다. 한마디로 그 누구도 살고 싶지 않은 세상인 거죠.

④Alpha Dog : 기독교 성경에는 '나는 알파와 오메가요 처음과 나중이요 시작과 끝이라'라는 구절이 나오는데요, 이같이 'Alpha'는 '처음(=First)'이란 뜻이기에 'Alpha dog'이란 개 무리를 이끄는 '대장 개'를 의미합니다. 그리고 비유적으로는 '조직에서 가장 강하고 실력 있는 사람 (=두목, 우두머리)'을 뜻하고요. 그리고 '알파독 증후군'이

라는 말도 있는데요, 이는 반려견 스스로가 자신이 주인보다 서열이 높다는 착각에 빠져 주인과 가족을 보호해야 한다는 의무감으로 심하게 짖거나 다른 개들에게 공격적인 성향을 보이는 것을 뜻한다고 하네요. 한편 최근엔 여성의 사회 진출이 늘어나면서 'Alpha Girls(알파 걸스)'라는 말도 자주 들을 수 있는데, 그 뜻은 학벌이면 학벌, 외모면 외모, (업무) 실력이면 실력 등 모든 방면에서 뛰어난 '엘리트 여성들'을 지칭합니다. 이와 비슷한 말로는 '스완족(SWAN족, Strong Women Achiever, No Spouse)'을 꼽을 수 있고요, 그 뜻은 '성공 지향적인 미혼 여성'이 되겠습니다만 그 (영어) 줄임말인 'SWAN'은 우아하면서도 고고한 '백조'를 의미하기도 하지요.

⑤Black Dog : 이 제목을 직역하면 '검은 개'이지만 영미권에서는 '우울증'이라는 뜻으로도 쓰이고요, 로마시대 이래로 많은 작가와 정치인들이 사용해온 용어라고 합니다. 이 'Black'이라는 형용사는 주로 좋지 않은 뜻으로 많이 쓰이는데요, 'Black Sheep'은 '말썽쟁이', 'Black Magic'은 '사악한 마술', 'Black List'는 '요주의 (또는 감시)

인물 목록'이라는 뜻이지요. 1960년대 미국의 흑인 인권 단체들은 자신들의 피부색을 가리키는 'Black'이 나쁜 뜻을 가지게 된 것이 흑인에 대한 인종적인 편견 때문이라고 주장하며, 'Black is beautiful (검은 것은 아름답다)'이라는 슬로건을 구호로 삼아 'Anti-Blackness(반흑 정서)'에 반기를 들고 흑인으로서의 정체성과 자부심을 회복하자는 흑인 민권 운동을 펼치기도 했습니다.

위에 소개한 영화들 외에도 'Dog Day Afternoon(뜨거운 오후)'이라는 1975년 작 할리우드 영화를 'Dog'이 제목에 포함된 유명 영화로 꼽을 수 있을 것 같고요, 이 제목을 그대로 직역한 것으로 보이는 1995년 국산 영화 '개 같은 날의 오후'라는 영화가 있습니다만...이 영화의 영어 제목은 예상과는 달리 'A Hot Roof'라고 하네요. 우리 말로는 '뜨거운 지붕' 정도 되려나요???

자, 그럼 여기서 다시 'Sirius'로 돌아가 보도록 합시다. 앞서 언급했던 것처럼 고대 로마인들은 일명 'Dog Star(개 별)'인 'Sirius'가 무더위와 밀접한 관련이 있다고 굳게 믿었고요, 그래서 한 여름이면 애꿎은 누렁개 (Brown dog)를 희생시켜 더위를 조금이라도 누그러뜨리려고 했다고 합니다. 천상의 별과 지상의 개가 무슨 상관이겠습니까만, '싸움닭'이라는 별명을 가진 투수의 공을 공략하기 위해서 그 투수가 등판하는 날이면 언제나 '닭백숙'을 먹었다는 어느 강타자의 말마따나 그러한 행위는 논리나 이성과는 전혀 상관없이 굉장히 주술적인 의미를 담고 있다고 하겠습니다. 그런데 우리나라에서도 1980년대까지만 해도 복날이면 많은 개들이 더위 때문에 기력이 허해진 사람들의 영양 보충을 위해 희생되기도 했으니 예전에는 서양이나 동양을 막론하고 여름은 개들에게 수난의 계절이었을 것 같습니다. 물론 이러한 주술적인 행위와 식습관은 진작에 없어졌고요, 최근 유럽에서는 개가 막대한 유산을 물려받았다는 뉴스가 종종 들려오는 한편 한국에서는 이제 많은 개들이 떳떳한 (인간) 가족의 일원이 된 것을 넘어 주인이 끄는 안락한 '개모차'를 타고 다니며 맛있는 간식을 먹고 있으니 이제는 매일 매일이 'Dog Days', 즉 '개들의 날들'이 된 것 같습니다. 그러나 저러나 올해(2024년) 여름은 엄청나게 더운 'Dog Days of Summer'가 될 것이라는 예측이 여기저기서 들려오는데, 매일 매일이 'Dog days'이니만큼 이번 여름만큼은 제발 'Dog Days'가 아니길 간절히 바래봅니다.

다음 장은 개 특집(?) 제3편이 되겠고요, 이번엔 개의 이름이 제목인 영화를 다루기로 하겠습니다. 그리고 그 영화의 제목은 'Arthur the King(아서)'입니다.

제5장. Arthur the King

: 옆 집에 사는 개 이름 '아더'
라지요???

혹시 영국 북쪽에 위치한 스코틀랜드에 가보신 적이 있으신지요? 저는 지금으로부터 약 20여 년 전에 갔었는데요, 에딘버러 성, 스코틀랜드 국립 박물관, 세인트 앤드류스 골프장, 네스호 등 수많은 유명 관광지 중에서 지금까지도 가장 생생히 기억에 남은 곳은 다름아닌 에딘버러에 위치한 'Arthur's Seat(아더스 시트)'입니다. 사화산(死火山)이라고 알고 갔건만 높이가 겨우(?) 해발 251미터여서 산이라기보다는 조금 높은 언덕 같더군요. 이처럼 산의 높이가 별로 높지 않아 만만하게 봤는데, 아, 초반의 등반길은 예상처럼 수월했지만 정상에 가까이 가면 갈수록 경사로와 바위가 굉장히 많더군요. 생각보다 코스가 어려웠던 데다가 한 여름인 7월 말이어서 와이프와 저 모두 고생을 좀 했습니다. 하지만 정상에 올라서니 에딘버러 시가가 눈에 확~ 들어오는 것은 물론 시원한 바다도 훤히 보여서 힘들게 올라간 보람을 느낄 수 있더군요. 음, 그런데 산을 내려오던 중 문득 왜 이 곳에 '아더의 산(Mountain)'도 아니고 '아더의 언덕(Hill)'은 더더욱 아닌 '아더의 시트(Seat)'라는 이름이 붙었는지 궁금해졌습니다. 그래서 백과사전과 인터넷 등에서 관련 내용을 찾아봤더니...영국을 최초로 통일한 아더왕이 전쟁에서 승리한 후 이 곳에 앉아

쉬셨다는 전설이 전해져 내려와 이런 이름이 붙었다고 합니다. 아울러 또 다른 유래는 '활을 쏘는 언덕'이라는 뜻의 게일어인 'Ard-na-Said'가 오랜 시간 동안 변화에 변화를 거치며 'Arthur's Seat'가 되었다는 것이었고요. 다들 잘 아시겠지만 사전상 이 'Seat'는 '자리', '좌석'이란 뜻이고요, 동사로는 그리 자주 사용되지 않지만 '앉히다'라는 의미도 있습니다. 그리고 속어로는 '엉덩이'를 의미한다고 하네요. 사전적인 뜻이야 어찌됐건 간에 그곳은 스코틀랜드 인구의 대부분을 차지하는 켈트족의 영웅인 아더왕의 신화(혹은 역사적인 사실)와 밀접한 관련이 있는 휴화산이기에 우리 말로는 '아더왕의 산'이라고 할 수 있을 것 같습니다. 한편 우리에게도 친숙한 이 '아더'라는 (남자) 이름의 어원에 대해서는 수많은 가설이 있습니다만 켈트족의 언어 중 '곰(Bear)'을 의미하는 'Artos'라는 단어에서 유래했다는 주장이 가장 설득력을 얻고 있습니다. 그렇다면 이렇게 말할 수 있지 않을까요? 한반도에 '웅녀(熊女)'가 있었다면 스코틀랜드에는 '아더'가 있었다고 말이죠. ^^.

이번 장의 주인공은 앞서 소개한 것과 같이 'Arthur'라는 개가 등장하는 'Arthur the King'이라는 영화가 되겠습니다. 그럼 여기서 잠시 그 줄거리를 소개해 보도록 하지요. 운동 선수인 '마이클'은 총 700km에 이르는 코스타리카의 밀림을 10일 안에 주파해야 하는 레이싱에 참가하게 됩니다. 그와 그의 팀은 지도에도 없는 지름길로 가다가 목숨을 잃을 위기에 처하기도 하지만 반드시 우승을 차지하겠다는 일념 하에 계속 레이싱을 펼쳐나가죠. 이런 와중에 길 잃은 개와 우연히 마주친 마이클이 자신의 식량인 미트볼을 개에게 주자 고마움을 느낀 그 개는 계속해서 그의 일행을 따라오게 됩니다. 그러던 와중에 그 개가 낭떠러지 밑으로 떨어질뻔한 마이클 일행을 구해주게 되는데요, 마이클은 이에 대한 감사의 표시로 개에게 '아더(Arthur the King)'라는 이름을 지어주고 경주에 동참시키지요. 레이싱 막판에 맹렬히 선두권을 추적하던 마이클 일행이 카약을 타고 강을 건너던 중 헤엄을 쳐 따라오던 아더가 물에 빠져 죽을 위기에 처하자 마이클은 동료들의 반대에도 불구하고 개를 살리기 위해 배를 돌리려 합니다. 결론은 여러분들께서 직접 확인해 보시기 바랍니다만...이 작품 역시 할리우드 영화이기에 해피엔딩으로 끝날 가능성이 굉장히 높겠죠? ^^.

자, 그럼 이제 영화 줄거리에 이어 이 작품의 흐름에 중요한 실마리를 제공하는 주요 단어 및 (영어) 표현에 대해서 알아보도록 하지요.

　　제일 먼저 마이클과 아더의 우정이 싹트는 데 결정적인 역할을 한 'Meatball'입니다. 'Meatball'은 다진 고기를 동그랗게 뭉쳐서 조리하는 서양 요리로 우리말로는 '고기 완자'라고 하지요. 생긴 거나 만드는 방법 모두 우리나라의 동그랑땡과 비슷합니다만 차이점이라면 미트볼은 그 이름처럼 동글동글하지만 동그랑땡은 원형 모양의 바퀴처럼 생겼다는 것이고, 또 다른 차이는 미트볼의 재료는 대부분이 고기 (동그란 모양을 잡아주기 위해 겉에 빵가루를 입히기도 함)입니다만 동그랑땡은 적지 않은 야채가 들어가는 것은 물론 계란 옷을 입힌다는 것이 되겠습니다. 이 'Meatball'과 비슷한 요리로는 'Meatloaf'가 있는데요, 재료나 만드는 방법은 서로 유사하지만 'Meatball'과는 달리 'Meatloaf'는 아직 썰지 않은 계란말이와 비슷하게 생겼습니다 (물론 색깔은 다릅니다...). 먹기 좋도록 롤케익 자르듯 세로로 잘라 놓는 것도 계란말이와 같고요. 이미 고인이 됐습니다만 1990년 대에 높은 인기를 누렸던 'Meat Loaf(미트 로프)'라는 이름의 미국 가수가 있었는데요, 그의 본명은 'Michael Lee Aday'이지만 중학교 때 체중이 확~늘어버린 그를 친구들이 그의 이름(Michael)과 미들 네임(Lee)의 이니셜안 'ML'을 따서 'Meat Loaf'라고 불렀고, 나중에 그가 가수로 데뷔했을 때 이 별명을 예명으로 썼다고 합니다.

다음은 'Transition Area'입니다. 'Transition'은 사전적으로는 '(다른 상태나 모양으로의) 이행 혹은 변화'를 뜻하기에 'Transition Area'란 말 그대로 '(다음 상태로의) 변화가 일어나는 지역'이 되겠습니다. 마이클이 참가한 레이싱의 규칙은 처음에는 걷거나 뛰다가 다음에는 자전거로, 그후에 다시 뛰다가 카약으로 바꿔 타야 하는데요, 이렇듯 종목이 바뀔 때 간단히 요기를 하거나 휴식을 취하는 한편 다음 종목에 사용될 (자전거나 카약 같은) 장비를 준비하고 점검하는 장소가 되겠습니다. 우리말로는 '제1관문', '제2관문'이라고 번역하기도 하지요. 그런데 언어학에서 이말은 '두 지역 방언이 만나는 방언의 접촉 지역'이라는 뜻으로 우리말로는 '전이지역(轉移地域)'이라고 하니 참고로알아두시기 바랍니다. 여담입니다만 경상도와 전라도 접경의 어느 지역에 사시는 분들께서는 어휘는 경상도 방언을, 전체적인 억양은 전라도 방언을 쓰시더군요. 아마도 이러한 지역을 지칭하는데 사용되는 것으로 보입니다. 한편 'Transition'과 비슷하게 생긴 'Transit'이라는 단어는 항공관련 용어인데요, 비행기를 타고 가던 승객들이 중간 경유지에서 잠시 내렸다가 다시 똑같은 비행기를 타고 최종 목적지까지 가는 것을 의미합니다. 최종 목적지가 아닌 경유지에 잠시 착륙하는 것은 비행기에 손님을 더 태우거나 항공유 급유, 식수/기내식 준비, 승무원 교대를 하기 위해서라고 하네요. 지금은 없어졌지만 예전 서울에서 브라질 상파울로로 가는 항공편이 바로 미국 LA를 경유지로 하는 'Transit flight'였지요.

세 번째로 알아볼 표현은 "What's your problem?"이 되겠습니다. 칠흑같이 어두운 밤, 마이클과 그의 동료들은 선두권을 따라 잡기 위해 쉬지 않고 전진하고 있었는데요, 어느새 따라온 아더가 맹렬히 짖으며 더 이상 앞으로 가지 못하게 하는 겁니다. 그러자 팀원 중 한 명이 아더에게 "What's your problem?"이라고 소리치지요. 이 표현은 말 그대로는 '네 문제가 뭐야?'이지만 실제로는 그 뜻은 "너 인성에 문제 있어?"라는 말에 더 가깝다고 할 수 있고요, 흔히 상대방이 경우에 맞지 않는 행동을 할 때 하는 말이 되겠습니다. 그러기에 우리말로는 "너 지금 뭐 하자는 거야?" 혹은 좀 더 심하게는 "왜 지X이야?"에 해당될 것 같습니다.

마지막 표현은 "That was cheeky"입니다. 아더가 하도 짖어대자 마이클은 앞으로 나아가는 것을 잠시 멈추고 지형을 세세히 살펴보다가 바로 앞에 천길 낭떠러지가 있는 것을 발견합니다. 그리고는 아더를 향해 "That was cheeky"라고 하지요. 어떤 번역자께서는 이 말을 "정말 놀랍지 않아?"로 번역하셨더군요. 사전적으로 'Cheeky'는 '무례한', '건방진'이라는 뜻이지만 진심이라기보다는 다소 장난스러운 행동을 가리키기에 어른들 앞에서 심하게 '까불대는' 남자 아이를 'a cheeky little boy'라고 부르기도 하죠. 그래서 그 정확한 뜻을 알기 위해 네이티브 스피커에게 자문을 구했더니 'That was cheeky'에서의 'cheeky'는 'disrespectfully audacious', 즉, 자신의 생각 혹은 행동이 맞다고 확신하며 (상대방의 의견에 따르는 대신) 자기 소신대로 '과감히 행동하는 대담함'이라고 보면 될 것 같습니다. 그의 의견에 비추어 저는 이 말을 "요놈 참 당돌하네!"로 번역하고 싶습니다. 마이클이 말은 그렇게 했지만 실제로는 아더를 칭찬하는 표현인 것이죠. 마지막으로 'Cheeky'와 관련된 내용을 하나만 더 덧붙이면, 2000년대 초에 활동했던 루마니아 출신의 'Cheeky Girls'라는 이름의 여성 쌍둥이 듀오가 있었는데요, 그들이 부른 'Cheeky song'이라는 노래 가사 중에 'Ooh, boys, cheeky girls...Come and smile, Don't be shy, Touch my bum, This is life (얘들아, 우리는 치키 걸스야, 부끄러워 말고 이리와 웃으며 내 엉덩이를 두드려줘, 이런게 바로 인생 아니겠니?"라는 내용이 있습니다...그들이 생각하는 인생이란 과연 무엇일지 20여 년이 지난 아직도 궁금합니다.

　　이 장을 스코틀랜드와 관련된 이야기로 시작했으니 마무리도 스코틀랜드와 관련된 이야기로 하도록 하겠습니다. 미국 사람들 중에는 스코틀랜드에서 유래한 성씨를 가지고 있는 사람이 많은데요, 제가 카투사로 복무하던 1990년대 초에 친하게 지내던 미군 중에 'Bailey'라는 성을 가진 미군 상병이 있었는데 이 성씨 역시 스코틀랜드에서 유래했다고 하더군요. 평소에도 장난 치는 걸 누구보다도 좋아하던 그는 제게 "텍사스 우리 집에 개가 한 마리 있는데...그 개 이름이 바로 '허정혁'이야!"라고 하더니 깔깔대며 웃더군요. 그래서 저는 지금은 개를 키우지 않지만 추후에라도 개가 생기게 되면 'Bailey'라고 이름 짓겠다고 맞받아쳤죠. 헌데 웬일인가요? 얼마 전 'Bailey'라는 이름의 개가 주인공으로 나오는 영화가 나왔으니 말입니다. 비록 저는 아직 (아마 앞으로도 쭉~ ^^) 개를 키우지 않아서 이름을 붙일 개가 없지만 그 영화를 보다가 문득 지금은 50대 중반이 됐을 왕년의 전우 'Bailey'가 현재 키우는 개의 이름이 뭘지 궁금하더군요. ^^. 그런데 얼마 전 실종 41일 만에 다시 집을 찾아 돌아온 '손흥민'이라는 이름의 개가 언론에 보도되어 큰 화제가 되기도 했는데요, 축구를 좋아하던 주인이 반려견 이름을 축구선수 이름을 따서 지어줬는데, 그 중 제일 똑똑한 개에게 '손흥민'이라는 이름을 붙여줬다고 합니다. 음, 하지만 글쎄요, 만일 그 소식을 손흥민 선수가 들었다면 기분이 어땠을지 모르겠습니다만...저라면 그다지 좋지만은 않았을 것 같은데요? ^^.

자, 아더와 관련된 얘기는 여기까지만 하기로 하고, 다음 장에서는 개 특집 마지막 편으로 '인디아나 존스 시리즈'에서 활약한 'Harrison Ford(해리슨 포드)'와 개가 함께 주인공으로 나오는 'Call of the wild(콜 오브 와일드)'를 소개하도록 하겠습니다.

제6장. Call of the Wild

: 야생이 부른다?

자연이 부른다?

"Nature Calls? I've never heard of it! (자연이 부른다고? 그게 뭔 소리여?)"

앞 장 말미에 소개한 'Bailey 상병'에 이어 이번엔 군대에서 저의 첫 룸메(룸메이트)였던 'Fox 상병'과 함께 이 장을 시작해 보도록 하겠습니다. 그는 어디서 배웠는지 아주 정확한 한국어 발음으로 "나는 여우!"라고 소리치더니 갑자기 여우 우는 소리를 내기도 하는 아주 유쾌한 성격의 소유자였지요. 1990년대 초 어느 봄날, 그와 함께 막사에서 군화를 닦으며 열심히 수다(?)를 떨던 중 문득 화장실에 가고 싶어진 저는 "Excuse me, I'm going to the bathroom(잠시만요, 화장실 좀 갔다 오겠습니다)"이라고 하려다 너무 진부한 것 같아서 당시 열심히 공부하던 영어회화 책에서 본 대로 "Nature calls! ('자연이 부르니 화장실에 가야겠습니다)"라고 했지요. 아, 하지만 그의 반응은 앞서 소개한 것처럼 영 시덥지 않았습니다. 그래서 영어회화 책을 가져다 'Nature calls'라는 표현이 나오는 페이지를 펼쳐 보여줬더니 그는 이와 비슷한 뜻의 "Call of nature(자연의 부름, '소변이 마려워 화장실에 가야겠다'는 의미)"라는 말을 들어보긴 했지만 평소에 그리 잘 쓰진 않는다고 하더군요. 하긴 그냥 화장실 간다고 하면 될 걸 뭐 그리 대단한 일이라고 굳이 대자연까지 들먹이겠습니까. 대자연의 부름을 받아 모든 속세와의 인연을 끊고 깊은 산속으로 들어가는 것도 아닌데 말이죠. 그리고 그는 덧붙이기를 정 이 표현을 쓰고 싶으면 "I have to go answer the call of nature(자연의 부름에 응하러 화장실에 가야겠어)"라고 하라고 하더군요. 아, 그런데 이 얘기를 쓰다 보니 갑자기 대자연이 부르는지 화장실에 가고 싶은걸요?! 일단 좀 참고 쓰던 글은 마저 다 쓰도록 하겠습니다. ^^. 이쯤 되면 여러분들도 짐작하셨겠지만 이번 장의 주인공은 'Fox 상병'이 저에게 가르쳐준 'Call of nature'와 생김새가 비슷한 'Call of the Wild(콜 오브 와일드, 야생의 부름)"가 되겠습니다.

그럼 늘상 해왔던 것처럼 줄거리부터 먼저 살펴보고 가지요. 미국 캘리포니아에 위치한 판사님의 고대광실(高臺廣室, 굉장히 크고 좋은 집)에서 먹고 싶은 것 다 먹고 하고 싶은 것 다하면서 '개팔자 상팔자'를 온 몸으로 증명하던 애완견 'Buck(벅, 이하 벅)'은 주인님 가족 드실 음식을 완전히 헤집어 놓아 집 밖에서 혼자 자야만 하는 벌을 받게 됩니다. 그런데 바로 그날 밤 벅은 개도둑에게 붙잡혀 집에서 아주 아주 멀리 떨어진 알래스카까지 팔려가게 되지요. '세인트 버나드'와 '스카치 셰퍼드'를 조상으로 둔 믹스견답게 듬직한 덩치를 자랑하는 그는 그곳에서 우편배달용 개썰매를 끌게 됩니다 (참고로 이 영화의 배경은 19세기 말입니다). 난생 처음 해보는 일이라 얼음 위에서 미끄러지기도 하고 엉뚱한 방향으로 가는 등 온갖 시행착오를 겪기도 하지만 금세 적응한 것은 물론 단번에 서열 1위로 올라서며 (썰매 끄는) 개들을 진두 지휘하게 되지요. 하지만 우편배달용 썰매가 전보로 대체되면서 이번엔 금 채굴업자에게 팔려갑니다. 새로운 주인은 아주 난폭한 사람이었는데요, 개들에게 밥도 안주고 채찍으로 때리는 등 온갖 학대를 일삼지요. 그러던 어느 날 무리한 명령을 거부하는 벅에게 그가 총을 쏘려고 하는 순간...어디선가 나타난 '존 (해리슨 포드 분)'이 벅을 구해주는 것에 더해 자신의 집으로 데려가 그동안 무너져 버린 벅의 몸과 마음을 성심 성의껏 치료해 줍니다. 이제 존의 집에 새로운 둥지를 틀게 된 벅은 대자연 속에서 좌충우돌 갖가지 모험을 벌이게 되는데요...여기까지가 이 영화의 대략적인 줄거리이고요, 이제 이 영화에 등장한 주요 단어 및 표현에 대해서 소개해 보도록 하겠습니다.

제일 먼저 주인공 개의 이름인 'Buck'입니다. 이 단어는 주로 '(미국 화폐) 달러'라는 뜻으로 쓰이는데요, 그 유래가 굉장히 재미있습니다. 미국 서부 개척시대에 북미 원주민과 유럽인들은 물건을 사고 팔 때 사슴 가죽(Buckskin)을 돈 대신 사용했다고 하고요, 시간이 지나면서 이 'Buckskin'이 축약되어 'Buck'이 되었다고 합니다. 여기서도 알 수 있듯이 'Buck'의 본래 뜻은 '사슴'입니다만 대개는 수사슴(Male Deer)을 가리킵니다. 2017년에 나온 인종 차별을 주제로 한 영화 'Get out(겟 아웃)'에서는 수사슴과 그 머리 박제를 담은 장면이 반복적으로 나오는데요, 그 이유는 생물학적으로 'Black Buck'은 온 몸이 검은 털로 덮혀있는 '인디아 영양'이지만 속어로는 '백인에게 고분고분하지 않고 (백인들의 눈에) 폭력적으로 보이는 흑인 남자'를 의미하기 때문이라고 합니다. 영화를 보신 분들은 아시겠지만 주인공인 흑인 청년은 무사히 악의 소굴을 탈출하게 되지요. 마지막으로 'Buck'에는 '책임'이라는 뜻도 있는데요, 얼마 전 방한했던 미국 대통령이 한국 대통령에게 'The buck stops here (모든 책임은 내가 진다)'라고 쓰여진 명패를 선물하기도 했었죠. 외워서 활용하기에 좋은 표현입니다만...자칫 잘못 발음하면 욕같이 들리니 주의하십시오. ^^.

　　두 번째 표현은 벅이 썰매 끄는 개들과 처음 인사할 때의 상황에서 한번 뽑아 보겠습니다.벅이 개들에게 반갑다는 인사를 하다가 너무 흥분한 나머지 꼬리로 한 친구의 얼굴을 세게 치게 되는데요, 영화 속에서 벅은 아무 말 없이 미안하다는 듯 그 개의 얼굴만 바라봅니다만 만일 인간 세상에서 다른 사람의 얼굴을 실수로 쳤다면 "미안해요, 하지만 일부러 그런 건 아니었어요"라고 사과해야겠죠. 그럴 때 쓸 수 있는 표현이 "Sorry...nothing on purpose(미안해, 일부러 그런 게 아니야...)" 혹은 "Sorry, I didn't mean it"이 되겠습니다. 이와 약간 비슷하면서도 다른 표현이 'nothing personal'인데요, 그 뜻은 '개인적인 감정으로 그런 건 아니야'가 되겠습니다. 앞의 'nothing on purpose'가 실수를 무마하려는 의도에서 하는 말이라고 한다면 이는 보통 상대방에 대한 불평이나 지적 등을 하고 나서 상대의 기분을 상하게 하지 않으려는 의도로 많이 사용하지요. 이런 상황에서는 위와 같이 'nothing personal'이라고 하던가 혹은 'It's not personal', 'Don't take it personally'라고도 할 수 있겠습니다. 추가로 뜻이 이와 비슷한 듯 하지만 조금 다른 표현이 'no hard feelings'가 될 텐데요, 예를 들어 제가 한 제안을 상대방이 거절하면서 "So no hard feelings?"라고 하면 "너무 기분 나빠하지는 마"라는 뜻이 되겠습니다 (하지만 보통 이런 말을 들으면 더 기분이 나빠지죠 ^^). 추가로 이 표현은 연인과 헤어지거나 혹은 직장 동료와 격렬한 논쟁을 벌인 후에도 쓸 수 있는데요, 그런 상황에서 "But no hard feelings'라고 하면 "그래도 뭐 악감정은 없어"라는 의미입니다. 좀 다르게는 "그 (혹은 그녀)와 나쁜 일이 있긴 했지만 이제 다 훌훌 털어버렸어"라고 해석할 수도 있고요. 여담입니다만, 아카데미 여우주연상을 수상한 배우 'Jennifer Lawrence(제니퍼 로렌스)'가 주연으로 나오는 'No hard feelings'라는 영화가 최근 개봉했는데요, 파산 위기에 몰린 그녀가 자동차를 받는 조건으로 모태 솔로인 대학생을 유혹해달라는 제안을 받는 내용이 되겠습니다. 파산 위기에 몰린 그녀와 마찬가지로 금전적으로 벼랑 끝에 몰린 부부에게 한 백만장자가 부인과 하루밤을 보내는 조건으로 거액을 주겠다는 야릇한(?) 제안을 하는 30여 년 전 영화 'Indecent Proposal(은밀한 유혹)'이 머리에 떠오르네요.

　　세 번째는 벅이 썰매 끄는 개들의 우두머리가 되는 장면에서 뽑아 봅니다. 그는 본래 두목이었던 개를 누르고 서열 1위가 되면서 썰매를 끌 때도 제일 앞에 서게 되는데요, 이런 개를 'Lead dog'이라고 합니다. 앞장에서는 '두목'을 의미하는 'Alpha dog'을 소개했습니다만 'Dog'이 들어가는 또 다른 표현으로는 'Top dog'과 'Underdog'이 있죠. 왜 이런 표현이 생겼는지 궁금하시다면 개들이 싸움하는 장면을 머리 속에 떠올려보면 금세 호기심이 해결됩니다. 개 싸움에서 승부가 갈리는 때는 힘센 개가 다른 개의 위에 올라타서 으르렁거리고 약한 개는 바닥에 깔려서 "깨갱깽!" 거릴 때지요. 그리하여 다른 개 위에 올라 타 승리를 만끽하는 개는 'Top Dog(위에 있는 개, 즉 승자)'이 되고, 이 개에게 깔려 밑에서 깽깽거리는 개는 'Underdog(밑에 깔린 개)', 즉 패배자가 됩니다. 본래 이런 뜻이던 'Underdog'이 지금은 '단순한 패배자'가 아닌 '(아직까지는) 스포츠 시합이나 선거에서 탈락하지 않았지만 패배가 거의 99% 확실한 약골'을 의미하기도 합니다. 뒤집어 보면 이 말은 'Underdog'은 약체이기에 경쟁에서 탈락하는 것이 시간 문제이기는 하나 아직까지 굳건히 버티고 있음은 물론 단 1%나마 시합에서 승리할 가능성이 있다는 것을 뜻하지요. 즉, 'Underdog'은 단순한 'Loser'가 아닌 언제든 'Dark horse(다크 호스)'가 되어 승부를 뒤집을 수 있는 잠재력을 가진 존재가 되겠습니다.

그 다음은 금 채굴업자가 벅에게 총을 쏘려고 할 때 어디선가 나타나 벅을 구해준 존의 외침에 귀 기울여 보도록 하지요. 존은 "(벅이 강을 건너라는 너의 말을 듣지 않은 건) River ices are gonna break up any minute (얼음이 너무 얇아 언제 깨질지 모르기 때문이야)!"라고 소리치지요. 여기서 'break up'은 '얼음이 깨지다'란 뜻입니다만 이는 '(연인이) 헤어지다' 혹은 '(물건이) 산산 조각나다' 등을 의미하기도 합니다. 그리고 처음 만난 사람들 간의 어색하고 서먹서먹한 분위기를 없애기 위해 재미난 게임 등을 진행하는 시간을 'Ice breaking time'이라고 하기도 하죠. 한편 개들을 학대하다가 존에게 엄청 두들겨 맞는 금채굴업자는 영어로 'Gold prospector' 혹은 'Gold digger'라고 부르는데요, 속어로 'Gold digger'는 돈을 노리고 타인과 교제하는 사람을 뜻한다고 합니다. 예전엔 주로 돈도 나이도 많은 남자와 사귀며 돈을 뜯어내려는 젊은 여자를 의미했다고 합니다만 요즘엔 남녀노소를 가리지 않고 사용된다고 하네요...

이제 마지막으로 이 영화 제목의 뜻에 대해서 소개해 보도록 하겠습니다. 'Call of the Wild'는 우리말로는 당연히 '야생의 부름'이 되겠습니다만, 그 숨겨진 뜻은 우리의 생각과 조금 다릅니다. 한국말로 '야생의 부름'이라고 하면 험준한 산과 울창한 정글, 그리고 거친 강을 헤집고 다니며 미지의 영역을 탐험한다던지 혹은 영화 '가을의 전설(Legend of the fall)'에서 '브래드 피트'가 사나운 곰과 맞서 싸우는 것 등의 '야성의 삶'으로 이끄는 '미지의 힘'일 것 같지만, 서양인들에게 '야생의 부름'이란 오히려 도시의 모든 번잡함과 혼란함을 뒤로 하고 대자연 안에서 안락한 삶을 살라는 '자연의 부름'에 가깝다고 합니다. 마치 '엘튼 존'의 노래 'Goodbye yellow brick road'에서처럼 '도시의 번잡함과 무자비함' 혹은 '헛된 세속적인 성공'을 의미하는 'Yellow brick road'에 작별을 고하고 대자연의 품에 안겨 자유로운 삶을 살라는 '부름 (혹은 가르침)'이라는 것이죠. 그러하기에 고사성어로는 '안빈낙도(安貧樂道)요, 고려가요 중에는 '청산에 살으리랏다!'와 평행이론과 같이 맞닿아 있다고 하겠습니다. 그리고 영화 주인공으로 치자면 '인디아나 존스'가 아닌 그리 널리 알려진 영화는 아닙니다만 '가재가 노래하는 곳(Where the crawdads sing)'의 여주인공인 'Kya(키아)'처럼 늪을 둘러싼 깊은 숲 속에서 혼자 살면서 자연과 동물의 그림을 그리는 소녀의 삶과 더 가깝다는 것이죠. ^^.

자, 그럼 여기서 다시 이 장을 시작했던 'Call of nature'로 돌아가봅시다. 화장실 얘기로 시작했으니 화장실 얘기로 끝내야죠. ^^. 제가 용산 미헌병대에 자대 배치받아 미군들과 대화를 할 때 제일 흥미로웠던 것 중 하나는 화장실과 관련된 단어 중 '큰 볼일'은 'Number one', '작은 볼일'은 'Number two'라고 한다는 것이었고요, 이보다 더 신기했던 건 '소변을 보다'는 'take a piss', 그리고 'X을 싸다'는 'take a shit'과 같이 '용변을 보다'라는 표현에 'take' 동사를 사용한다는 것이었습니다. 그래서 '여우 상병'에게 대체 왜 그런 경우에 'take' 동사를 쓰느냐고 물어봤더니 여우 상병 왈, "허일병, 욕실에서의 상황을 한번 생각해봐. '샤워한다'고 할 때 'take a shower', 그리고 '목욕한다'고 할 때 'take a bath'라고 하잖아. 이처럼 'take'를 아주 오랜 옛날부터 욕실용(?) 동사로 사용해 왔기에 욕실에서 처리하는 일 중 하나인 용변 역시 'take' 동사를 쓰는 것 같아"라고 하더군요. 언어학 혹은 역사적으로 확실한 근거가 있는 건 아니지만 그럴듯하게 들리더라고요. 그리고 그가 덧붙이기를, 군대와 같이 정확한 의사 소통과

급박한 행동이 필요한 조직이 아닌 이상 용변과 관련된 사항은 웬만하면 "I need to go to the bath room" 혹은 "Would you excuse me, please?"와 같이 좀 돌려서 얘기하라고 하더군요. 마치 식당에서 서빙하시는 분들을 부를 때 "Hey, waiter(이봐, 웨이터)"라고 하지 않고 "Excuse me(여기 잠시요)!"라고 하는 것처럼 말이죠. 이와 비슷한 상황인지는 모르겠지만, 우리도 '개'를 '개'라고 하지 않고 좀 돌려서 '멍멍이'라고 하고, '강아지'는 '댕댕이' 혹은 '꼬물이'라고 하지 않던가요. ^^.

자, 그럼 이 장을 끝으로 개 특집 3부작은 마치고요, 다음 장부터는 우리 속담에 '닭 쫓던 개'처럼 아주 오랫동안 개와 밀접한 관련을 맺고 살아온 닭을 포함해 '조류 3종 세트'를 소개해 보도록 하겠습니다. ^^.

제7장. 닭강정 : 치킨너겟은 치킨 금덩이???

이번 장의 주인공은 우리 영화인 '닭강정'인데요, 사람이 닭강정으로 변한다는 괴랄(?) 하기 그지없는 내용을 담고 있긴 합니다만 상상에만 그치지 않고 웹툰과 영화로까지 만들어졌다는 사실이 대단하기도 합니다. 그리고 이 영화의 영어 제목은 'Chicken nugget(치킨너겟)'인데...이 부분에서 고개가 살짝 갸우뚱해지지요. 왜냐면 언뜻 생각해도 '닭강정'과 '치킨너겟'은 닭고기가 재료라는 것만 빼면 달라도 너무 다르기 때문이죠. 다들 잘 아시겠지만 여기서 잠깐 닭강정의 정체에 대해서 소개하면, 이는 말 그대로 우리나라의 전통 식품인 강정 만드는 방법을 닭고기에 그대로 적용시켜 만든 음식으로서, 튀긴 닭을 꿀/물엿/계피가루/설탕/견과류/고추기름 등을 넣어 만든 소스와 함께 볶아서 만들지요. 그리고 아주 달달한 맛이 납니다. 반면 치킨너겟은 갈은 닭고기에 밀가루/전분/소금/후추 등으로 만든 튀김옷을 입혀 기름에 튀겨낸 식품입니다. 보통 케찹이나 허니 머스타드 소스를 찍어 먹기도 하지만 본래의 맛은 꽤나 짭조름하죠. 이렇듯 닭강정과 치킨너겟은 만드는 방법과 재료는 물론 맛도 엄청 다르고요, 거기다 육안으로 보이는 모양 역시 차이가 많이 납니다. 아마도 이 영화는 국내용이 아닌 글로벌 관객을 겨냥해 만들어졌기에 'Chicken Gangjung'이라는 지극히 한국적인 영어 제목보다는 외국인들에게 친숙하면서도 닭강정과 언뜻 비슷해 보이는 'Chicken nugget'이라 이름 붙인 것 같습니다.

그래서 실제로는 '닭강정'을 영어로 뭐라고 하는지 알아 보려고 해외, 특히 미국 LA와 캐나다 토론토에 위치한 한국 음식점의 메뉴를 검색해 봤더니...미국 LA에 위치한 유명 한국 식당은 그냥 'Chicken Gangjung' 혹은 'Gangjung'이라고 표기해 놓으셨더군요. 하지만 '닭강정'이란 단어에는 외국인들이 발음하기 힘들어하는 'o(이응)' 발음이 연달아 있는데다가 이 음식이 김치나 김밥 같은 대표적인 한국 음식처럼 외국에 널리 알려져 있지도 않기에 'Gangjung'이라고만 표기하는 건 좀 무리인 것 같습니다. 기타 다른 식당에서는 'Korean crispy fried chicken' 혹은 'Sweet & spicy Korean chicken' 등으로 표기를 하셨던데요, 만일 제가 음식점 사장이라면 'Korean-style sweet & crispy fried chicken'이라고 써놓고 그 옆에다가 가로 열고

'Korean dakgangjung'이라고 써놓을 것 같습니다. 네? 너무 길다고요? 음, 그것도 일리 있는 지적이네요. 그럼 저는 외국 가서 닭강정 사업할 생각일랑 완전히 접어야겠습니다. ^^. 그리고 '치킨너겟'은 본래 영어이기에 미국이나 영국에서는 당연히 'Chicken Nugget'이라고 하고요, 여기에 포함된 'Nugget'은 본래 '(땅에서 발견되는 귀금속, 특히 금) 덩어리'라는 의미입니다. '치킨너겟'의 색상과 모양이 금덩어리(Nugget)와 매우 유사해 이런 명칭을 갖게 되었다고 하지요. 이 'Nugget'이 우리에게는 조금 낯선 단어인지도 모르겠지만 미국 NBA의 농구팀 중 'Denver Nuggets(덴버 너깃츠)'라는 팀이 있기도 한데요, 19세기에 덴버가 위치한 콜로라도주에서 벌어졌던 금 찾기 열풍에서 기인한 이름이라고 하네요.

한편 이 영화에서는 사람이 닭고기 (엄밀히 말해서 닭강정)로 바뀝니다만 이와 유사하게 사람이 동물로 바뀌는 영화 몇 편을 소개해 보도록 하겠습니다. 제일 첫 작품은 최근 불미스러운 스캔들에 휩싸이기도 했던 'Kevin Spacey(케빈 스페이시)' 주연의 '미스터 캣(Mister Cat)'입니다. 타이틀만 들어도 어느 정도 내용을 짐작할 수 있습니다만 이는 한국에서 개봉하면서 새롭게 붙인 제목이고요, 원래 제목은 영어 속담인 '고양이 목숨은 아홉 개 (A cat has nine lives)'에서 유래한 'Nine Lives(아홉 개의 목숨)'입니다. 이 속담의 어원에 대해서는 여러 가지 주장이 있지만 그 중 한 가지만 소개해 보면, 고대 이집트에는 '엔네아드'라 불리는 9명의 신(神)이 있었기에 이집트인들은 숫자 '9'를 아주 신성하게 여겼다고 합니다. 아울러 이 신들 중 '오시리스'와 '이시스'라는 신에게서 고양이 여신인 '바스테트'가 태어났다는 신화가 있어서 고양이를 숭배하던 고대 이집트인들이 고양이의 목숨 숫자에 신성한 숫자인 '9'를 붙여 줬다고 하고요. 여담입니다만 일반적으로 길한 숫자는 '7'로 알려져 있지만 '9' 역시 이에 만만치 않고요, 고대 그리스와 동양에서 모두 '완벽의 숫자"로 알려진 '3'이 3개나 모여 있는 숫자 '9'를 인간이 이룰 수 있는 최고 경지의 수로 인식했음은 물론 십진법 상에서 '10'이 '신의 영역(Divine)'에 해당하는 가장 완벽한 수로 신성하게 여겨졌기에 이보다 1이 모자란 '9'를 인간이 도달 할 수 있는 가장 완전한 숫자라고 믿었다고 합니다.

다음 차례는 주인공의 부모가 돼지로 변하는 'Spirited away'입니다. 이렇게 영어 제목만 달랑~ 써놓으니 무슨 영화인지 감이 잘 안 오지만 우리말 제목인 '센과 치히로의 행방불명'은 많은 분들이 아시리라 믿습니다. 영어로 '(be) spirited away'는 '비밀스럽게 어디론가 없어지다', '쥐도 새도 모르게 사라지다'라는 뜻으로, 이 말은 영화의 일본어 제목인 '千と千尋の神隠し'에 포함된 '신이 숨겼다'라는 뜻의 '神隠し(카미카쿠시)'를 영어로 번역한 것입니다. 아주 오랜 옛날 일본에서는 아이가 실종되면 납치범이나 산짐승의 소행이 아닌 신(神)적인 존재가 아이를 숨긴 것이라 여겼다고 하지요. 지금이야 CCTV다, GPS다 해서 실종자의 행방을 추적할 수 있는 방법이 많습니다만 옛날에 이런 방법이 있을 리 만무하기에 아이를 찾는 것은 거의 불가능했다고 하고요, 부모들은 아이가 험한 일을 당한 것이 아닌 신이 데려가서 잘 보살펴 줄 것이라고 믿으며 위안을 삼았다고 합니다. 한편 이 작품의 영어 제목에 포함된 'spirit'은 명사로서 '정신', '영혼', '기백' 등을 뜻

합니다만 간혹 '독한 술'을 의미하기도 하는데요, 이는 중세시대의 연금술사들이 당시에는 의학용이나 종교용으로 사용되던 술 (알코올)을 제조하던 것과 관련이 있습니다. 연금술사들은 알코올과 물이 뒤섞인 용액에서 물을 증류시켜 알코올을 뽑아냈는데요, 이렇게 뽑아낸 알코올을 'Spirit of the liquid', 즉, '액체 성분의 핵심(Essence)'이라 불렀기에 지금도 'Spirit'이 '독주'를 의미하게 되었다고 합니다. 그 유래야 어찌됐건 간에 'Spirit'을 많이 마시면 여러분의 'Spirit'이 완전히 '(be) spirited away' 될 터이니 금주가 최선이요, 최소한 반드시 절주하여야 할 것입니다.

세 번째 영화는 'Brave'라는 미국 애니메이션이 되겠습니다. 이 또한 이렇게 영어로만 써놓으니 무슨 영화인지 아리송합니다만 '메리다와 마법의 숲'이라는 우리에게도 매우 친숙한 영화이고요, 이 작품에서는 주인공의 엄마인 '엘리노어 여왕'이 곰으로 변하지요. 이 영화의 제목인 'Brave'는 보통 '용감한', '용기 있는' 등의 뜻으로 널리 알려져 있지만 중세시대에는 '아주 멋진'이라는 의미로 사용되었다고 합니다. 그래서 영국의 대문호인 'William

Shakespeare(윌리암 셰익스피어)'가 쓴 희곡 'Tempest(템페스트)'에는 여주인공인 'Miranda(미란다)'가 "O brave new world, that has such people in it...(아, 멋진 신세계여, 그곳에는 정말로 멋진 사람들이 많을 것 같아)"라고 하는 독백이 나오지요. 이처럼 어원을 따라 올라가다 보면 이 'Brave'라는 영화 제목은 '용감한' 뿐 아니라 '멋진', '훌륭한'이라는 뜻도 됩니다.

네 번째 소개할 영화는 'The lobster(랍스터)'입니다. 이 영화의 배경은 미래의 어느 도시인데요, 그곳의 독신자들은 모두 한 호텔로 보내져 45일 내에 반드시 짝을 찾아야만 하고 만일 짝을 찾지 못하면...자신이 선택한 동물로 변해 평생을 동물로 살아야만 합니다. 이 작품 속 주인공인 '데이비드'는 짝을 찾지 못하면 '랍스터'가 되겠다고 선언하고는 열심히 자신의 반쪽을 찾아 다니지요. 한편 랍스터 요리는 전세계 어디에서나 굉장히 고급 요리 대접을 받습니다만 18세기까지만 해도 이 바다 생물은 그 흉칙한 (?) 생김새로 인해 '바다의 바퀴벌레'라 불린 것은 물론 미국에서는 감옥의 죄수나 농장에서 일하는 일꾼의 식량으로 배급될 정도였다고 합니다. 하지만 한 때 천덕꾸러기 신세였던 랍스터는 교통 수단 및 냉동 기술의 획기적인 발전과 함께 다양한 조리법도 개발되며 현재는 고급 식재료로 탈바꿈하였습니다.

이제 마지막으로 'Spies in Disguise'를 소개하면서 이 장을 마치도록 하겠습니다. 이 또한 영어 제목만 보면 무슨 영화인지 어리둥절하지만 한국에는 '스파이 지니어스(Spy Genius)'로 소개된 꽤나 널리 알려진 작품이지요. 이 영화의 주인공이면서 스파이인 '랜스'는 세계 평화를 위협하는 무기 거래를 막다가 도리어 악당이 파놓은 함정에 빠져 무기 도둑으로 몰리게 됩니다. 설상가상으로 그는 천재 과학자인 '월터'가 연구하던 약을 먹고 비둘기로 변하게 되지요. 이 영화의 본래 제목인 'Spies in Disguise'는 우리 말로는 '변장한 스파이들' 정도가 되겠습니다만 한국으로 수입되면서 'Spy Genius'라는 제목으로 탈바꿈했는데요, 'Genius Spy(천재 스파이)'도 아니고 'Spy Genius(지니어스라는 이름을 가진 스파이)'라니 무슨 말인지 감이 잘 안 옵니다. 영화 속 천재 과학자의 이름이 'Genius'도 아닌

데 말이죠. 여담입니다만 최근 'Elvis(엘비스)'라는 영화로 다시 부활한 팝의 황제 'Elvis Presley(엘비스 프레슬리)'가 부른 노래 중에 이 영화 제목과 비슷한 'Devil in disguise'라는 곡이 있는데요, 이를 직역하면 '변장한 악마'가 되어 무슨 뜻인지 애매모호하지만 'You look like an angel, Walk like an angel, Talk like an angel, But I got wise, You're the devil in disguise (천사처럼 말하고 걷는 너는 진짜 천사처럼 보이지만 난 이제 더 이상 속지 않아, 네 정체는 아름다운 여자의 탈을 쓴 악마일 뿐이야)'라는 가사를 보면 무슨 뜻인지 대충 짐작이 가기도 하죠. 뒤이어 나오는 가사에서 이 남자는 자기에게 거짓말하고, 바람 맞히고, 심지어 양다리까지 걸치는 '그녀'의 만행(?)을 잔뜩 늘어 놓으며 "넌 정말로 아름다운 여자의 탈을 쓴 악마야!"라고 노래합니다. 여성을 악마에 비유했으니 아마 요즘 같으면 여성인권단체에서 가만 있지 않을 것 같기도 합니다만, 이 노래가 발표된 1960년대 초반에는 별다른 문제없이 큰 인기를 끌었다고 하네요.

자, 그럼 여기서 다시 닭강정으로 돌아가 보도록 합

시다. 앞서 소개한 것처럼 이 영화에서는 사람이 닭강정으로 변합니다만 서양 문학 작품 중에서도 사람이 동물 혹은 곤충으로 변하는 이야기를 담은 작품들이 꽤나 많습니다. 멀게는 '개구리 왕자'에서부터 비교적 최근 작품인 카프카의 '변신'에까지 말이죠. 이에 더해 그리스-로마 신화에는 본래는 아름다운 여인이었지만 머리카락은 독사, 멧돼지의 엄니, 긴 뱀 혀를 가진 괴물로 변해버린 '메두사'가 나오고요, 이와는 조금 다를지도 모르겠지만 자신의 손에 닿는 것은 모두 금으로 바꾸어 버리는 마이다스 왕은 자신의 딸마저도 금으로 만들어 버리지요. 메두사와 마이다스와 관련된 신화는 널리 알려져 있지만 그 후의 이야기는 잘 알려져 있지 않은데요, 이들의 최후(?)를 간략히 말씀 드리면, 모든 것을 금으로 바꿔버리며 좋아라 하던 마이다스는 자신의 딸마저 금으로 바뀌자 갑자기 현타(!)가 오면서 자신에게 이러한 능력을 부여한 '디오니소스 신'에게 모든 것을 다시 원래대로 되돌려 달라고 간청했고요, 그러자 신은 마이다스에게 스틱스강에서 목욕만 하면 모든 것이 다시 정상으로 되돌아갈 거라고 하지요. 그래서

부랴부랴 목욕을 마친 마이다스왕은 저주일지 축복일지 모를 능력을 상실하게 되었습니다만...그의 최후는 희극보다는 비극에 더 가깝습니다. 왜냐면 그 후에 '아폴로'와 '판'간에 벌어진 신(神)들의 피리 대결에 괜히 끼어들었다가 아폴로의 미움을 사 당나귀 귀를 갖게 되었으니 말이죠. 한편 메두사는 그리스 신화에 등장하는 영웅 중 하나인 '페르세우스'에 의해 죽임을 당하지만 그녀의 목에서 흘러내린 피에서 명마(名馬)인 '페가수스'가 탄생했고요, 이미 숨이 끊어졌음에도 자신을 쳐다보는 이를 모두 돌로 만들어 버리는 메두사의 머리는 전쟁 여신인 '아테나'의 방패인 '아이기스'를 장식하게 되지요. 어쩌면 운명의 소용돌이에 휩쓸려 비극적으로 삶을 마친 것에 더해 남의 방패에 그려진 장식품으로 전락해버린 메두사지만 20세기 들어 그녀는 글로벌 명품인 'Versace(베르사체)'의 로고로 화려하게 부활하게 됩니다. 자기 얼굴을 바라본 모든 존재를 돌로 바꿔버린 메두사처럼 '베르사체' 역시 한번 본 순간 눈을 뗄 수 없을 정도의 강렬함으로 모두를 돌처럼 만들어 버린다는 깊은 의미를 담기 위해 그녀의 얼굴을 로

고로 사용하고 있다고 하지요. 음, 신화 속 주인공들의 결말은 이러했는데 우리 영화인 '닭강정'의 결말은 어떻게 될까요? 그건 직접 확인해 보시는 게 좋을 듯 합니다. 왜냐면 영화를 포함한 모든 예술은 설명하는 것이 아니라 직접 경험해야 하는 것이니 말이죠. ^^. 자, 그럼 이 장은 여기서 마치고 다음 장으로 넘어가도록 하겠습니다. 다음 장은 조류 제2탄으로서, 주인공 영화의 제목은 'Chick Fight'가 되겠습니다.

제8장. Chick Fight (칙 파이트) :

같은 듯 다른 'Chick Fight'와 'Chicken Fight'

"~ Shot me down but I won't fall, I am titanium, Shot me down but I won't fall, I am titanium (쏴볼 테면 한번 쏴봐, 하지만 난 쓰러지지 않아, 왜냐면 난 티타늄이거든, 쏴볼 테면 쏴보라고, 하지만 난 결코 쓰러지지 않아, 난 티타늄이니까...)"

　　한 여가수의 절규하는 듯한 목소리가 들려옵니다. 가사 또한 듣는 사람으로 하여금 긴박감과 함께 절박감마저 느끼게 하지요. 어느 공중파 TV에서 방영 중인 한 영화관련 프로그램의 배경 음악으로도 사용되었던 이 곡의 제목은 다름아닌 'Titanium(티타늄, 타이타늄)'입니다. 이 노래를 처음부터 끝까지 다 들어 보시면 아시겠지만 가사의 주요 내용은 '날 비난해도, 채찍으로 내 뼈를 부러뜨려도, 심지어 날 총으로 쏜다 해도 난 다시 일어설 거야, 왜? 난 티타늄이니까'가 되겠고요, 티타늄은 가벼우면서도 강한데다가 환경의 변화에 따른 변질이나 부식이 거의 없는 것은 물론 무엇보다도 탄성과 복원력이 매우 뛰어난 금속입니다. 그렇기에 이 노래의 주제를 한 줄로 요약하자면 '나는 어떠한 시련에도 굴

하지 않고 티타늄처럼 다시 예전의 강한 나로 돌아갈 것이다!' 정도가 될 것 같습니다. 예전 제가 직장에서 큰 좌절을 맛볼 때마다 이 노래를 들으며 "이 또한 지나가리…"라고 마음 속으로 외쳤던 기억이 나는군요. 지금 와서 돌아 보건데, 큼지막한 바위같은 문제에 부딪히던, 헤어나올 수 없을 것만 같은 깊은 좌절을 겪고 있던 간에 뒤로 돌아 도망치는 건 결코 좋은 해결책이 아닌 것 같고요, 내가 지금 발을 딛고 있는 바로 이 장소와 숨을 몰아 쉬고 있는 이 순간에 어떻게든 문제를 해결하려고 달려들어야만 차츰 사태가 풀려 나가면서 괴로운 순간들이 저 멀리로 사라져 버리더군요. 물론 그렇게 한다고 해서 모든 결말이 다 좋으리라는 보장은 없습니다만…결과와는 상관없이 난제(難題)를 피하는 대신 해결하려고 발버둥쳐야 훗날 가슴 속에 후회가 남지 않더라고요. 아, 이 노래의 주인공을 아직 소개하지 않았네요. 그는 프랑스 출신의 유명 음악 프로듀서이자 DJ이기도 한 'David Guetta(다비드 게타, 이하 다비드)'가 되겠습니다. 물론 실제 노래를 부른 건 그가 아닌

초빙 가수인 'Sia(시아)'라는 호주 출신의 여가수이죠.

앞서 소개한 'Titanium'말고도 세계적으로 큰 인기를 얻고 있는 그의 노래 중에는 'Sexy chick(섹시 칙)'이라는 요상야릇한(?) 제목의 곡도 있는데요, 이 노래의 뮤직 비디오를 보신 분들은 잘 아시겠지만 다비드와 뭇 여성들이 수영복 차림으로 야외 풀에서 격정적인 파티를 즐기는 장면이 시종일관 화면을 가득 메우지요. 음, 그렇다면 'Chick'의 뜻이 과연 무엇이길래 뮤직 비디오의 내용이 이러한 것일까요? 어원상 'Chick'은 'Chicken'의 준말이고요, 우리에게 잘 알려진 'Chicken'의 뜻은 '닭', '겁쟁이'지만 'Baby bird', 즉 '어린 새'라는 또 다른 의미가 있습니다. 그래서 'Chicken'의 줄임말인 'Chick' 역시 '어린 새'란 뜻이고, 이를 닭에 적용하면 '병아리' 혹은 '영계'라는 의미가 되지요. 'Chick'은 지금으로부터 약 백 년 전인 1930년경부터 미국에서 '매력적인 젊은 여성'이라는 뜻으로 사용되기 시작했다고 하고요, 당시에는 여성에 대한 비하적인 표현이었다고 합니다만 지금은 유행가 제목으로 사용될 정도로 그 의미가 다소 순화된 것으로 보입니다. 아, 그리고 우리 말 '영계'와 이 'Chick'의 차이점이라면, '영계'가 남녀 모두를 가리키는 성적(性的)으로 중립적인 단어라면 이 'Chick'은 오직 여성만을 지칭한다고 합니다. 이러한 'Chick'의 의미가 이 장의 주인공인 'Chick fight'라는 영화 제목을 탄생시킨 것이기도 하고요.

자, 그럼 지금부터 'Chick fight'라는 영화의 줄거리를 간략히 소개해 보려고 합니다만...'Chick'의 속어적인 의미를 알고 있다면 제목만 보고도 대략 그 내용을 짐작할 수 있습니다. 당연히 젊고 아름다운 여성들이 싸움, 아니 격투기를 하는 내용이 되겠지요. 미국 플로리다에 사는 '애나'는 할부금을 갚지 못해 차가 압류되는 것에 더해 그녀의 아빠가 갑자기 커밍-아웃을 하고는 동성 연인에게 푹~빠져버려 혼란하던 차에 자신이 운영하던 커피숍마저 화재로 불타버리자 깊은 절망에 빠집니다. 그러자 그녀의 단짝 친구는 애나를 여성 전용 파이트 클럽인 'Chick fight'로 데려가지요. 그 때까지 싸움이라곤 전혀 할 줄 모르던 그녀는 차츰 차츰 격투기에 맛을 들이게 되는데요, 클럽의 최고 싸움꾼인 '올리비아'가 그녀의 자존심을 짓밟자 즉석에서 결투를 신청하고는 싸움의 고수로 알려진 '머피'에게서 '단기 속성 과외'을 받게 됩니다. 그리고 이러한 영화들의 결말이 그러하듯이 해피 엔딩으로 끝을 맺게 되지요. 한편 이 영화의 전개 과정은 중국 무협지의 그것과 굉장히 유사한데요, 악한에게 괴롭힘을 당하던 (혹은 가족이 몰살당한) 주인공이 복수를 위해 술주정뱅이지만 무술의 고수인 스승의 밑으로 들어가 스파르타식 훈련을 통해 강호의 무림 고수로 거듭난 후, 자신의 원수인 악한을 응징한다는 내용을 담고 있기 때문입니다. 아, 둘 간의 단한 가지 차이점이라면, 무협지에서는 주인공이 악당의 딸이나 아들과 사랑에 빠진 후 결국 가슴 아픈 이별 (혹은 상대방의 죽음)을 맞이하게 되지만 이 영화에서는 주인공과 악인이 한 남자를 두고 다투다가 종국엔 주인공이 사랑을 차지하게 되지요 (역시 할리우드 영화답습니다 ^^).

이 같은 영화의 내용에서도 알 수 있는 것처럼

'Chick fight'는 통상 '젊고 매력적인 여성들의 격투'를 의미합니다만 'Chicken fight'는 우리가 흔히 말하는 '기마전'과 굉장히 비슷합니다. 즉, 풀장이나 호수에서 두 명이 한 조가 되어 한 명이 다른 한 명의 어깨 위에 올라타고는 상대편을 물 속으로 쓰러뜨리려고 서로 엉켜붙어 싸우는 게임인 것이죠. 이와는 달리 우리나라나 일본에서 하는 기마전은 일반적으로 4명이 조를 이뤄 물 속이 아닌 운동장에서 하고, 대개 상대편을 넘어뜨리는 것 (전문용어로 이를 '짜부시킨다'고 합니다 ^^)이 아닌 적의 머리띠나 모자를 뺏으면 승리하게 되지요. 흠, 헌데 서양식 기마전이라 할 수 있는 'Chicken fight'가 어떻게 해서 이런 이름을 얻게 되었는지는 참으로 아리송합니다. 자신과 짝을 이룬 다른 한 명의 어깨 위에 무등을 탄 모습이 닭의 모습과는 전혀 닮아 보이지 않으니 말이죠. 추측하건대 투계장(鬪鷄場)에서 맞붙어 싸우는 진짜 닭들의 모습과 2인이 한 조가 되어 기마전을 벌이는 모습이 비슷하게 보여서 이런 이름이 붙여진 것 같기도 합니다. 한편 우리 민속놀이 중 하나인 '닭싸움 (한 쪽 발을 손으로 잡아 올리고 나머지 한 발로만 중심을 잡으며 서로 부딪혀 싸우면서 상대를 넘어뜨리는 게임)'은 영어로 뭐라고 하는지 찾아봤더니 모 인터넷 사이트에서는 'Cock fight'라고 번역을 해놓았더군요. 하지만 본래 '수탉'을 뜻하는 'Cock'이 남자의 생식기를 의미하기도 하기에 한국 민속놀이의 명칭으로 사용하기는 좀 그런 것 같고요, 제 생각에는 'Korean chicken fight'라고 하면 어떨지 모르겠습니다. 비록 진짜 닭싸움(투계)과 혼동될 수도 있지만 'Cock'이라는 단어는 웬만하면 피하고 싶군요.

자, 그럼 'Chick fight'에 대해서는 여기까지만 하기로 하고, 이제 제목에 'Chick'의 조상 단어인 'Chicken'이 포함된 영화를 소개하면서 이 장을 마치도록 하겠습니다. 제일 첫 순서는 'Super Size Me : Holy Chicken!'입니다. 이 작품은 1편인 'Super Size Me'를 이은 2편인데요, 1편에서 감독 자신이 한달 동안 패스트푸드만 먹으며 신체에 어떤 변화가 오는지 직접 확인하고서 소비자들에게 그 폐해를 알리려고 했다면, 2편은 자신이 직접 치킨

프랜차이즈를 운영하면서 해당 산업이 감춘 진실을 파헤치는 다큐멘터리 영화입니다. 이 제목에 포함된 'Super size'는 보통 패스트푸드 식당에서 파는 가장 큰 사이즈의 음료나 음식을 가리키고요, 이 뜻에 기반해서 영화 제목을 우리말로 의역해 보면 '(빅 사이즈 패스트푸드를 매일 먹고) 엄청 살이 쪄버린 나' 정도가 될 것 같습니다. 그리고 'Super Size'를 'Supersize'와 같이 동사로 사용하면 이는 패스트푸드를 주문할 때 가장 큰 사이즈의 햄버거나 콜라, 혹은 세트 메뉴를 달라는 말이 되겠습니다. 즉, "I'll have the combo meal, and please supersize it for me"라고 하면, '저는 세트 메뉴로 주세요, 제일 큰 걸로"라는 뜻이 되는 것이죠.

한편 우리는 어떤 상황이나 대상을 강조 혹은 과장해서 말할 때 '개~하다', '왕~하다', 혹은 좀 속된 말로 'X라~하다'라고 합니다만 이런 경우에 영어에서는 'Super'라는 말을 붙이곤 하는데요, 최근 큰 인기를 얻었던 팝송인 'Supalonely'는 본래 'Super lonely'로서 '너무너무 외롭다'라는 뜻입니다. 이외에도 'Super hot(엄청

섹시하다)', 'Super boring(정말 지겹다)', 'Super cool(너무 너무 좋다 혹은 멋지다)'과 같이 사용할 수 있지요. 여기에서의 'Super'는 지독한 욕설인 'FXXXing'과 비슷한 뜻이라고 할 수 있지만 훨씬 더 순화 및 정제된 표현이기에 실전에서 잘 활용하면 좋을 듯 합니다. 그리고 'Super Size Me'에 뒤이어 따라 나오는 'Holy chicken!'은 감탄이나 놀람을 나타낼 때 사용하는 표현인 'Holy cow!'를 패러디 한 것입니다. 이런 상황에는 보통 "What the fXXX!'이나 'What the hell!', 또는 "Oh, my God", "Jesus (혹은 Holy) Christ!"라고 하기도 합니다만 앞선 두 가지 표현은 욕설, 뒤의 두 표현은 신성모독이라고 볼 수도 있기에 조금 돌려서 "Holy cow!"라고 하는 것이죠. 그렇다면 개나 고양이 같은 다른 동물도 많은데 왜 애꿎은 소를 들먹이느냐는 생각이 들 수도 있는데요, 힌두교 등 여러 종교에서 소를 신성시하기에 'Christ'나 'God' 대신 'Cow'를 넣은 것이라는 의견이 있기도 하고, 19세기에 아일랜드 이민자가 미국으로 몰려들면서 그들이 자주 사용하던 감탄사인 "Holy cathu (여기서 'cathu'는 갈릭어로 '슬픔'이란 뜻임)!"라는 표현이 줄어들어 "Holy cat!"이 됐다가 "Holy cow!"로 바뀐 것이라는 등 많은 주장이 있습니다만 확실히 밝혀진 것은 없고요...20세기 들어 미국에서 야구가 큰 인기를 얻으면서 스포츠 캐스터들이 본격적으로 퍼트린 것만은 확실한 것 같습니다. 방송에서 욕이나 신성모독적인 표현은 사용할 수가 없으니 전혀 예측하지 못했던 돌발 상황이 벌어질 때마다 "신성한 소!"라고 외쳐댔던 것이죠.

두 번째 영화는 'Chicken soup for the soul (영혼을 위한 닭고기 스프)'입니다. 여러분들도 잘 아시다시피 이 작품은 본래 1990년대 최고 베스트셀러 중 하나였던 동명의 책을 원작으로 만들어진 영화이지요. 예부터 서양 민간요법에서는 닭고기 스프를 감기 치료제나 진정제로 사용해왔고요, 환자의 회복을 돕는 것은 물론 건강한 사람의 면역강화에도 도움을 주기에 지금껏 만병통치약이라 불리고 있습니다. 위 제목의 책이 전세계적으로 얼마나 큰 인기를 끌었는지 그 제목 자체가 '마음에 위로를 주는 따뜻한 글이나 문장'을 의미하게 되었습니다만...최근엔 이런 식의 "뭘 해도, 어떻게 되도, 다 괜찮아"는 식의 실속 없는(?) 위로보다는 '노력하는 자가 즐기는 자를 절대 이길 수 없다는 건 다 뻥이다! 성공하고 싶으면 현재의 고통을 반드시 극복해야만 한다!"는 '팩폭 조언'이 대세이기에 요즘 중국에서는 '鸡汤 (계탕, 닭고기 스프)'이란 말이 '영혼없고 실속없는 조언'이라는 뜻으로까지 전락했다고 하니 좀 씁쓸하네요. 여담으로 닭 대신 오리가 들어간 'Duck soup(오리 스프)'는 영어로 '누워서 떡먹기', 즉 '아주 쉬운 것'을 의미하니 참고하시기 바랍니다.

마지막 영화는 'The Chicken Squad'가 되겠습니다. 이 작품은 '꼬꼬 수호대'라는 제목으로 우리나라에서도 소개된 애니메이션 시리즈인데요, 비록 우리말 제목은 '(꼬꼬) 수호대'이지만 본래 'Squad'는 군대의 '분대'를 의미합니다. 군대의 가장 작은 단위는 회사와 마찬가지로 'Team'이고요, 이러한 팀들이 모여 'Squad'가 되지요. 요즘 SNS 상에서 이 단어는 '(친구들 간의) 모임', '그룹' 혹은 '(이들을 찍은) 사진'을 의미하기도 합니다. 참고로 군대에서는 'Squad'가 모여서 'Platoon(소대)'이 되고요, 대개 4개 소대가 1개 중대(Company)를 이루죠. 그리고 중대가 여러 개 모인 '대대'는 'Battalion', 이보다 큰 '연대'는 'Regiment', '여단'은 'Brigade', '사단'은 'Division'이라고 합니다. 한 가지 재미있는 건 회사에서는 'Company(주식회사)' 안에 사업부 혹은 사업 분야라는 뜻의 'Division'이 있지만 군대에서의 'Division'은 'Company'보다 훨씬 큰 단위이지요. 여담입니다만 소대를 의미하는 'Platoon'의 사전 상의 발음은 '플래툰'이고 동명의 영화가 있기도 합니다만 실제로 군대에서는 '퍼툰'이라고 합니다. 미군에서 2년 반 동안 카투사로 복무했던 자의 주장이므로 100% 믿으셔도 되겠습니다. ^^.

자, 그럼 여기서 다시 '다비드 게타'에 대한 얘기로 돌아가 보도록 합시다. 2010년대에 그와 쌍벽을 이루며 전세계적으로 이름을 날렸던 DJ 중에 스웨덴 출신인 'Avicii(아비치)'가 있었습니다. 이 둘은 서로 경쟁하는 사이였지만 'Sunshine'이라는 곡을 함께 발표하여 큰 인기를 얻기도 했지요. 만일 그가 지금도 살아 있다면 다비드와 경쟁하면서 수많은 주옥 같은 곡을 만들어 냈을 지도 모르겠습니다만...아비치는 커다란 성공 후에 밀려든 허탈감과 과도한 창작 스트레스를 이기지 못하고 2018년에 스스로 세상을 뜨고 말았습니다. (앞서 소개한) 2011년에 발표되어 지금까지도 큰 인기를 얻고 있는 다비드의 'Titanium'에 필적하는 아비치의 노래로는 2013년 작인 'Wake me up when it's all over(모든 것이 다 끝나면 나를 깨워주오)'를 꼽을 수 있는데요, 이 곡의 주요 가사를 잠시 살펴보면, 'Feeling my way through the darkness(어둠을 뚫고 내가 가야 할 길을 온 몸으로 느껴본다)', 'I can't tell where the journey will end (나의 여정이 어디서 끝날지는 모르겠다)', 'Wake me up when it's all over, When I'm wiser and I'm older (이 모든 것이 끝나거든 나를 깨워주오, 내가 좀 더 성숙해지고 현명해지거든)', 'I tried carrying the weight of the world, but I only have two hands (이 세상 모든 짐을 내가 다 짊어지려고 했건만 내 손은 두 개뿐이라서)...' 등등 다소 염세적이면서도 도피적이라 할 수 있는 가사가 대부분이라 회복 탄력성과 긍정 에너지로 가득한 다비드의 'Titanium'의 가사와는 확연한 거리가 느껴지죠 (그의 예명인 'Avicii' 역시 '아비지옥', 즉 가장 큰 죄를 지은 사람들이 갇혀서 가장 큰 고통을 당하는 지옥인 'Avici'를 참고해서 지었다고 합니다). 비록 그가 지금 천국에서 신나게 새로운 곡도 만들고 연주하고 있을지도 모를 일이지만 내일 모레가 환갑인 다비드가 지금도 열심히 월드 투어를 다니며 세상 사람들에게 즐거움과 희망 메시지를 전하는 걸 보면 머리 속이 좀 복잡해집니다. 어쩌면 이 둘이 가진 세계관의 차이가 이들의 인생을 갈라 놓은 것일지도 모르겠다는 생각이 들기도 하고요. 흔한 말로 이리 살아도 한 세상, 저리 살아도 한 세상이기에 누구의 인생이 더 낫다고 할 수는 없는 노릇이지만 그래도 저는 '다비드 게타'에게 한 표를 주고 싶습니다. 왜냐고요? 누군가 그러더군요. 개X밭에 굴러도 이승이 낫다고요...또한 창작은 언제나 고통스러운 것이지만 풀장에서의 파티는 언제나 즐거움으로 가득할 테니까요. 물론 과유불급(過猶不及)이라고, 적절한 자기

절제가 반드시 함께 따라야겠지만 말이죠...

자, 그럼 골치 아픈 얘기는 여기까지만 하기로 하고, 이제 조류 3부작 중 마지막인 'Richard the Stork (꼬마 참새 리차드)'로 넘어가도록 하겠습니다.

제9장. Richard the Stork : 황새 (Stork)가 데려왔나, 아니면 다리 밑에서 주어왔나?

지금으로부터 약 1년 전인 2023년 3월, 동물이 주인공으로 나오는 유럽산 애니메이션 한 편이 한국에 상륙했으니...이름하여 '치킨래빗 : 잃어버린 보물을 찾아서'가 되겠습니다. 잉? 그런데 이 영화의 영어 제목이 조금 이상합니다. 우리말 제목은 분명 '치킨래빗'이건만 영어 제목은 'Chickenhare and the Hamster of Darkness(치킨헤어와 어둠의 햄스터)'로서 '치킨래빗'이 아닌 '치킨헤어'가 포함되어 있으니 말이죠. 그렇다면 이게 대체 어떻게 된 일인지 그 줄거리부터 먼저 알아 봐야겠습니다. 이 애니메이션의 주인공은 언뜻 큰 귀를 가진 토끼로 보이지만 실제로는 머리에는 닭의 깃털이 있고 발은 뾰족한 닭 발인 반토반계(半兎半鷄, 반은 토끼고 반은 닭)입니다. 이 동물은 보통의 일반적인 토끼들과 함께 살기에 닭의 깃털을 숨기기 위해서 모자를 쓰고 닭 발이 부끄러워 토끼 발 모양의 신발을 신고 다니지요. 위대한 모험가가 꿈인 이 동물은 갖기만 하면 세계를 정복할 수 있다는 전설 속 보물인 '어둠의 햄스터'를 찾기 위해 미지의 세계로 모험을 떠나게 됩니다. 여기까지가 이 영화의 대략적인 줄거리이고요, 우리

말의 '토끼'에 해당되는 주요 영어 단어로는 'Rabbit'과 'Hare'가 있는데, 이 중 'Rabbit'은 몸집과 귀가 작으며 굴을 파고 땅 속에 사는 '귀요미' 토끼이고 'Hare'는 (상대적으로) 다리와 귀가 길고 땅 위에 집을 짓고 사는 덩치 큰 '(산)토끼'를 가리킵니다. 그런데 영화 속 주인공은 귀와 덩치가 크고 땅 위에서 살기에 'Rabbit'이 아닌 'Hare'가 틀림없고요, 게다가 애초부터 이 영화의 감독이 제목에 'Hare'가 주인공이라고 못박아 놨기에 이 동물이 'Hare'인지 'Rabbit'인지를 따지는 자체가 무의미하기도 하죠. 그러나 한국에서는 'Hare'의 인지도가 'Rabbit'보다 떨어진다는 이유 하나만으로 (한글) 제목에서 한 순간에 사라지고 말았습니다.

한편 ('Hare'의 입장에서는 조금 억울하겠지만) 영화 한 편의 흥행 성적에 생사(生死)가 달려있는 국내 배급사의 입장도 어느 정도 이해가 되기도 하는데요, 객관적으로 봤을 때 'Hare'보다는 'Rabbit'이 관객들에게 훨씬 더 친숙하고 잘 알려져 있는데다가 한글 영화 제목을 '치킨래빗(Chickentrabbit)'이 아닌 '치킨헤어(Chickenhare)'라고 써놓으면 이와 발음이 같은 '닭 털(Chicken hair)'로 오해 받을 수 있는 소지도 다분하니 말이죠. 그런데 주인공 역할을 빼앗긴 'Hare'가 동병상련을 느낄만한 동물이 얼마 전 등장했으니, 그가 바로 'Stork(황새)'가 되겠습니다. 왜냐면 최근 개봉한 한 애니메이션의 영어 제목은 'Richard the Stork and the Mystery of the Great Jewel'이건만 한글 제목에서는 '황새'가 슬쩍 '참새'로 바뀌며 '꼬마참새 리차드 : 신비한 보석 탐험대'가 되었으니 말이죠.

이 영화는 2017년에 개봉한 'Richard the Stork (혹은 A Stork's Journey)'의 속편이기에 여기서는 1편의 줄거리부터 소개해 보도록 하겠습니다. 부모를 잃고 고아가 된 참새 '리차드'는 황새들의 보살핌을 받고 무럭무럭 자라납니다만 겨울이면 따뜻한 남쪽으로 날아가야만 하는 황새들은 리차드가 먼 길을 가다가 큰일이라도 당할까 싶어 그를 남겨두고 떠나려 하지요. 하지만 리차드는 자신도 용감한 '황새'라는 걸 증명하기 위해서 혼자서 그 먼 길을 날아가겠다는 결심을 하게 됩니다. 그리고 그 여정에서 수많은 모험을 하게 되지요. 금년에 개봉한 2편에서 리차드는 악당인 공작새가 자신의 모험을 도와준 참새들을 괴롭히자 그들을 지키기 위해서 아프리카 전설 속의 보석을 찾는 과정을 담고 있습니다. 여기까지가 '꼬마 참새 리차드'의 대략적인 줄거리이고요, 리차드의 자기 정체성은 비록 '황새'이지만 생물학적으로는 분명 '참새'이기에 제목에서 슬그머니~ 빠져버린 황새는 '치킨헤어'만큼은 억울하지 않을 수도 있을 것 같습니다. 아무리 늑대가 키운 '늑대 소년'이라고 해도 생물학적으로는 명명백백한 사람이고, 개가 입양한 고양이 새끼나 혹은 그와 정반대의 경우라 해도 그들의 생물학적인 종이나 과가 바뀌는 것은 아니듯이 리차드는 생물 분류학적으로 분명 참새이니 말이죠. 아울러 이 영화의 주인공은 참새가 틀림없기에 제목을 '꼬마 황새 리차드'라고 써놓으면 관객 (특히 어린이 관객)들이 엄청 혼란스러워 할지도 모를 일입니다.

자, 그럼 지금부터는 영화 제목에서 밀려나던 말던 언제나 고고하면서도 늠름한 모습을 뽐내는 'Stork'라는 새에 대해서 알아보도록 하겠습니다. 여러분들도 잘 아시는 것처럼 이 새는 우리말로 '황새'이고요, 'Stork'라는 단어는 이 새의 모습과 행동거지에서 유래했다고 합니다. 즉, 이 단어와 비슷하게 생긴 'Stark'와 'Stork'는 같은 어원을 가진 사촌지간인데, 바로 이 'Stark'가 의미하는 '뻣뻣한(Stiff)', '엄격한(Rigid)' 등이 황새의 외모와 행동을 잘 묘사하고 있다는 것이죠. 황새가 강가에 고고하게 서있는 모습이나 먹이를 잡으려고 길게 쭉 뻗은 다리와 부리를 다소 뻣뻣하게 흔들어대는 행동을 머리 속에 떠올려 보시면 이 새가 왜 그런 명칭으로 불리는지 곧바로 알아차리실 수 있을 겁니다. 그런데 서양에서 'Stork'는 아기가 담긴 바구니를 부모에게 가져다 준다는 이야기 속의 주인공이기도 하기에 예쁜 아기의 탄생을 상징하는 동물이기도 합니다. 유럽에 이와 관련된 전설과 신화는 꽤나 많은데요, 제일 먼저 북유럽에는 황새가 '창조의 바다'에서 둥둥 떠다니는 태아를 발견해서 사람에게 전해 주었다는 전설이 있는 것에 더해 봄이 다가오는 것을 알려주는 길조(吉鳥)로서 새로운 생명의 탄생을 상징하기도 한다고 합니다. 또한 그리스-로마 신화에도 황새와 아기에 대한 이야기가 등장하는데요, 뛰어난 미모를 지닌 여왕 'Gerana(게라나)'는 최고

신 '제우스(Zeus)'의 부인이자 여신 중 서열 1위인 'Hera(헤라)'의 미움을 사 황새로 변하는 벌을 받게 되고요, 분노에 사로잡힌 헤라에게서 자신의 아기를 보호하기 위해 아기를 싼 이불보를 기다란 부리로 물고는 멀리 멀리 날아가 버렸다고 합니다. 그리고 이 광경을 그린 그림은 지금까지도 'Baby Shower(베이비 샤워)' 초청장이나 행사장의 벽면을 장식하기도 하죠. 이제는 우리나라에도 널리 알려진 'Baby Shower'는 본래 미국이나 유럽에서 아기의 탄생이 임박했을 때 임산부의 가족 및 친구들이 아기 선물과 축하 메시지를 전달하는 행사 (혹은 파티)입니다. 그리스-로마 신화에서는 황새로 변한 엄마 (게레나 여왕)가 아기를 물고 안전한 곳으로 도피합니다만 서양에서는 예로부터 황새가 산모에게 아기를 물어다 준다고 믿었기에 'Baby Shower'에서의 황새의 역할은 신화 속 내용과는 조금 다르다고 하겠습니다. 참고로 이 'Baby Shower'는 아기를 샤워시킨다는 뜻이 아니고요, 출산을 앞둔 산모가 억수같이 쏟아지는 소나기를 맞는 것처럼 지인들로부터 엄청난 양의 선물과 축복을 받는다는 것에서 유래했다고 합니다.

황새가 아기의 탄생을 상징하는 동물이 된 마지막 이유는 황새의 생태적인 특성과 밀접한 관련이 있는데요, 이 새가 사는 둥지가 굉장히 넓은데다가 육아에도 무척 열심이기에 이를 지켜본 사람들이 '황새 = 새로운 생명의 탄생 + 정성스런 육아'라고 여기게 되었다고 하네요. 한편 우리나라에서는 황새가 아기를 물어다 준 것이 아니라 아기를 '다리 밑에서 주어왔다'고 하지요. 이 표현이 지리적 혹은 생물학적인 사실 중 어느 쪽에 근거를 두고 있는지는 확실치 않습니다만 이는 아마도 (위 표현에 등장하는) '다리'를 강을 잇는 '다리(橋)'로 보느냐 아니면 사람의 '다리(脚)'로 보느냐에 따라서 결정될 것 같습니다. ^^. 여담입니다만 위와 같이 서양이나 동양 모두 출산과 같이 대놓고 말하기에는 조금 어려운 이야기를 조금씩 돌려서 표현하고 있는데요, 이와 비슷한 경우이면서 동물이 등장하는 숙어로 'the birds and the bees'라는 표현이 있습니다. 말 그대로는 '새와 벌'이라는 뜻이지만 그 속에는 '아동에 대한 기초적인 성교육'이라는 의미가 숨겨져 있습니다. 즉,

어린 아이들에게 "남자와 여자가 만나서 어쩌고 저쩌고~" 와 같은 얘기를 노골적으로 할 수는 없으니 임신과 출산의 과정을 새들이 알을 낳는 것과 벌이 '꽃의 수분(Pollination)'을 도와 주는 것을 예로 들어 적절히 설명해 주는 것이죠. 따라서 'The mother told her daughter about the birds and the bees'라는 문장은 '엄마가 어린 딸에게 새와 벌에 대한 것을 알려줬다'라는 뜻도 되지만 '엄마가 어린 딸에게 성(性)에 대한 기초적인 지식을 알려 줬다'도 의미합니다.

자, 그럼 여기서 다시 자신이 주인공이어야 할 영화 제목에서 밀려나 한참 억울해 하고 있을지도 모를 'Hare'와 'Stork'로 돌아가 보도록 합시다. 'Hare'는 'Rabbit'에게 밀려나는 바람에 앞서 소개한 영화의 우리말 제목이 '치킨 헤어'가 아닌 '치킨 래빗'이 되었습니다만 그 영화보다 최소한 백배(!)는 더 유명한 이솝 우화인 'The Tortoise and the Hare(산토끼와 거북이)'에서는 당당히 주인공을 차지했지요. 그리고 이 우화의 우리말 제목에서 정말로 억울한 것은 '자라'입니다. 왜냐면 'Tortoise'는 한국어로는 분명

'자라'이고 'Turtle'은 '바다거북'이기에 우리말 제목은 '산토끼와 자라'가 되어야 함에도 자라와는 달라도 한참 다른 바다거북이 그 자리를 냉큼 차지했으니 말이죠. 음, 그렇다면 'Stork'에게도 'Hare'와 같은 반전이 있을까요? 네, 있습니다! 황새와 관련된 전설과 신화를 연구하는 'Warren Chadd(워렌 차드)'라는 영국 학자에 따르면, 그리스-로마 신화에 등장한 게레나여왕이 변신한 동물은 본래 황새가 아니라 두루미(Crane)라고 합니다. 물론 황새와 두루미를 일반인들이 구분하기란 매우 어렵지만 신화 속에서 아기를 싼 이불보를 입에 물고 날아간 새를 묘사한 내용이 황새보다는 두루미에 훨씬 가깝다는 것이죠. 아울러 이집트 신화 속의 황새는 만물의 생성과 밀접한 관련이 있는 것으로 나옵니다만 그녀의 연구에 따르면 이 동물 역시 황새라기보다는 왜가리에 더 가깝다고 합니다. 신화 속에 등장한 새가 본래는 왜가리였지만 시간의 흐름에 따라 어느 순간 황새가 그 자리를 차지해 버렸다는 것이죠. 음, 그렇다면 영화 제목에서 참새한테 밀려났다고 해서 황새가 그리 억울해할 일도 아니겠는데요? 왜냐면 일부 신화 속에 등장한 황새는 본래 황새가 아닌 황새와 비슷하게 생긴 새였건만 사람들의 오해 및 혼동을 통해 신화 속 주인공 자리를 차지하게 된 것이니 말이죠. 그렇다면 결론적으로 두루미와 왜가리를 쫓아낸 황새를 다시 몰아낸 참새야 말로 정말로 대단한 조류인 것 같습니다. 명불허전(名不虛傳)이라고, 비록 체구는 작고 행동거지마저 촐싹(?)맞지만 고대 그리스시대부터 참새는 지구 상에서 가장 큰 새인 타조의 명칭에도 그 이름을 올리는 등 위세가 보통이 아니었습니다. 고대 그리스어에서 유래한 'Ostrich (타조)'의 본래 뜻이 'Big sparrow', 즉, '커다란 참새였음은 물론 고대 그리스인들은 '타조'를 'Strouthokamelos', 즉 '낙타 참새(Camel sparrow)'라고도 불렀으니 말이죠. 음, 이쯤 되니 참새가 어떻게 황새를 몰아냈는지 감이 좀 오시죠? ^^.

자, 그럼 조류 3부작은 이렇게 마치고요, 이제는 인간과 가장 비슷하게 생긴 동물이 주인공으로 나오는 두 편을 소개해 보도록 하겠습니다. 먼저 '혹성 탈출 : 새로운 시대(Kingdom of the Planet of the Apes)'를 들여다 보도록 하지요.

제10장. Kingdom of the Planet of the Apes : 'Kingdom'과 'Fandom'은 무슨 관계?

"해 질 무렵 날 끌고 간 발걸음, 눈 떠 보니 잊은 줄 알았던 곳에, 아직도 너에 대한 미움이 남아 있는지, 이젠 자유롭고 싶어, ~~~, 처음부터 너란 존재는 내겐 없었어, 니가 내게 했듯이, 기억해 내가 아파했던 만큼 언젠간 너도 나 아닌 누구에게 이런 아픔 겪을 테니 ~"

지금으로부터 27년 전인 1997년 4월, 아직도 드라마나 예능 프로에서 심심찮게 들을 수 있음은 물론 수많은 40~50대 '아재'들의 노래방 애창곡이기도 한 '발걸음'이라는 노래가 이 세상에 처음으로 선 보였습니다. 이 곡은 1990년대 '락 발라드(Rock Ballade)'의 대표적인 노래 중 하나로 손꼽힐 만큼 서정적인 가사와 가슴을 찢는 듯한 강렬한 기타 사운드가 매우 인상입니다만 '락 발라드'답지 않게 제목은 너무 단순하면서도 평범한 '발걸음'이지요. 하지만 이보다 더 괴이(?)했던 건 이 곡을 부른 그룹의 이름이 '에메랄드 캐슬(Emerald Castle)'이라는 것이었습니다. 웃기는 말 잘하기로 유명했던 저의 (회사) 입사 동기는 이 그룹의 이름을 듣고는 "잉? 무슨 '락(Rock)'한다는 밴드 이름이 순정만화 제목 같냐???"라며 킥킥거리기도 했었죠. 하지만 그의 이런 농담에 공감할 수 밖에 없었던 것이, 당시 한창 인기 있었던 한국 락 그룹들의 이름은 '넥스트',

'크라잉 넛', '노 브레인' 등과 같이 미래지향적이면서도 날카로운 '엣지(Edge)'를 지닌 것들이 대부분이었고, 아주 유명한 순정 만화 중에 이 노래의 제목과 비슷한 '유리의 성(Glass Castle)'이라는 작품이 있었기 때문이었지요. 신랄하게 이 그룹의 이름을 까대던(?) 그였건만 오랫동안 사귀던 여친과 헤어지더니 노래방이 떠나갈 정도로 이 노래를 불러 젖히더군요...

헌데 얼마 전 아주 우연찮게 이 그룹에 대한 숨겨진 이야기를 알게 되었습니다. '근황 올OO'이라고, 한 때 유명했지만 오랫동안 대중의 시야에서 사라져 버린 사람들(대부분 연예인)의 근황을 소개하는 인터넷 동영상 채널에 이 그룹의 리드 싱어가 출연했더군요. 그의 말에 따르면 이 밴드의 명칭은 본래 'Emerald Kingdom(에메랄드 킹덤)'이었지만 약육강식의 냉혹함이 지배하는 '동물의 왕국'을 떠올리게 하는 'Kingdom(왕국)'이라는 단어를 빼버리고 조금이라도 더 로맨틱하게 들리는 '(Emerald) Castle'로 이름을 바꿨다는 것입니다. 네? 그럼 '에메랄드'는 어디서 따온 거냐고요? 그건 이 노래가 발표될 당시 서울 강남, 아니 대한민국의 밤 문화를 주도했던 '줄리아X'라는 나이트 클럽이 위치해 있던 호텔의 이름에서 따온 것이라는군요. 이 호텔은 1990년대 말 다른 이름으로 바뀌었다가 지금은 대한민국에서 가장 비싼 아파트로 명성이 자자한 '더 펜트하우스 XX'으로 변신해 있지요. 여담입니다만, 이 곳에 있던 호텔을 '에메랄드'라고 이름 붙이신 분은 정말로 선견지명이 있으신 것 같습니다. 그 터가 얼마나 대단한 명당인지 그 위에 지어진 건물들은 모두 에메랄드로 장식한 듯 번쩍번쩍 빛을 발하니 말입니다...

　　자, 그럼 서론은 여기까지만 하기로 하고, 이제 본론으로 들어가 보도록 하겠습니다. 이번 장의 주인공은 앞서 소개한 것과 같이 'Castle'에게 억울하게(?) 밀려난 'Kingdom'이란 단어가 포함된 'Kingdom of the Planet of the Apes'입니다. 여러분들께서도 잘 아시다시피 이 작품은 1960년대 말부터 1970년대 초까지 만들어진 'Planet of the Apes(혹성탈출)'라는 영화를 원작으로 새롭게 만들어진 리부트(Reboot) 시리즈의 4번째 작품이 되겠습니다. 이 영화의 원제목을 우리말로 직역하면 '유인원이 지배하는 혹성의 왕국'이지만 2024년 5월 우리나라에서 개봉되면서 '혹성탈출 : 새로운 시대'로 바뀌었지요. 그럼 이 영화의 줄거리부터 간단히 살펴보도록 하겠습니다. 유인원들의 리더이자 전설적인 존재였던 '시저'가 사망한 후 3백 년이

지난 혹성에는 진화한 유인원과 유인원의 사냥감이 되어 버린 퇴화된 인간들이 함께 살고 있습니다. 이 영화의 주인공인 유인원 '노아'가 속한 독수리부족은 거대 유인원 왕국의 독재자인 '프록시므스'의 공격을 받아 대다수의 부족원이 몰살당하고 일부 살아남은 부족민들은 포로로 끌려가게 되지만 노아는 가까스로 탈출하게 되지요. 여기저기를 홀로 떠돌던 노아는 또 다른 유인원인 '라카'에게서 도덕성과 품위와 같은 시저의 가르침과 한 때 인간이 유인원을 지배했었다는 충격적인 얘기를 듣게 되지요. 그리고 유인원보다 훨씬 더 영리한 인간 소녀인 '노바 (혹은 메이)'와 우연히 만나 그녀와 소통하면서 인간과 유인원의 평화적인 공존에 대한 열망을 갖게 됩니다. 하지만 결국 그의 흔적을 발각 당한 노아는 프록시무스의 졸개들에게 붙잡혀 유인원 왕국으로 끌려가게 되고, 프록시무스는 왕국을 철권 통치하는 것을 넘어 혹성의 유일무이한 지배자가 되기 위해서 인간의 첨단 지식이 숨겨진 비밀의 동굴을 열려고 안간힘을 씁니다. 이제 영화는 절대 양립할 수 없는 노아와 프록시무스의 한판 대결로 치닫게 되지요...

한편 이 영화의 원제목에 포함된 'Kingdom'은 'King'과 'dom'이 합쳐진 말이고요, 'King'은 (여러분들도 잘 아시다시피) '왕'이고 뒤에 붙은 'dom'은 'Domain(영토, 소유지)'이라는 뜻입니다. 그래서 두 단어가 합쳐지면서 '왕이 다스리는 영토', 즉 '왕국'이라는 뜻이 되었지요. 이외에도 'dom'에는 '지위', '~한 상태', '사람들의 모임'이라는 의미도 있고요, '사람들의 모임'이라는 뜻에서 'Fandom'이라는 '특정 스타나 장르를 선호하는 팬들의 집단'이라는 의미를 갖는 단어가 탄생했습니다. 간혹 'Fandom'을 '열렬한 팬들의 영역(the realm of avid enthusiasts)'이라고 소개한 어원사전도 있으니 참고하시기 바랍니다. 여담입니다만 한국 'Fandom'의 역사는 1980년대 '오빠부대'에서 시작해서 1990년 대의 '팬클럽'과 '(좋아하는 연예인의 일거수일투족을 감시하는) 사생팬'을 거쳐 최근 전세계적으로 폭발적인 인기를 누리고 있는 'BTS' 팬들을 일컫는 '아미(Army)'에까지 이르렀다고 하겠습니다.

앞서 '혹성탈출' 리부트 시리즈 제4편의 제목에 대해 알아본 김에 지금부터는 그보다 앞선 1편부터 3편까지의 제목과 의미를 소개해 보도록 하지요. 제일 먼저 2011년에 개봉한 1편의 제목은 'Rise of the Planet of the Apes'입니다. 원제목을 우리말로 그대로 옮기면 '유인원이 지배하는 혹성의 부상(浮上, 높은 위치로 올라섬)' 정도가 되겠지만 우리말 제목은 '혹성탈출 : 진화의 시작'이지요. 이 제목에 포함된 'Rise'는 대부분 동사로 쓰이지만 유명한 역사 서적인 'The Rise and Fall of the Roman Empire(로마제국의 흥망성쇠)'에서와 같이 명사로 쓰이기도 합니다. 또한 이 단어가 포함된 주요한 표현으로 변호사가 주인공인 미드에 자주 등장하는 'All rise!'를 들 수 있겠습니다. 이는 법정에 판사가 입장할 때 그에 대한 존경을 표하기 위해서 재판장에 있는 모든 사람들에게 일어서라고 할 때 하는 말이고요, 우리 말로는 "전체 기립!" 정도 되겠네요. 반대말은 "Please be seated (전체 착석)"가 되겠습니다.

　　두 번째는 2014년에 개봉한 '반격의 서막'이고요, 이 영화의 영어 원제는 'Dawn of the Planet of the Apes'입니다. 'Dawn'은 사전적으로 '새벽', '여명', '(비유적인 의미로) 어떤 사건의 시작' 등을 뜻하기에 원제목을 직역하면 '유인원이 지배하는 혹성의 시작' 정도가 되겠지만 유인원들이 인간의 문명에 대항해 반격을 시작한다는 의미로 한국어 제목을 '반격의 서막'이라고 붙인 것 같습니다. 이 'Dawn'이 포함된 팝송으로는 아주 오래된 노래이긴 하지만 영국의 헤비메탈 그룹인 'Judas Priest(주다스 프리스트)'가 부른 'Before the dawn'이라는 명곡이 있기도 하죠. 그 뜻은 '새벽이 오기 전에'이니 시간상으로는 한밤중이 되겠네요.

이제 마지막으로 2017년 세상에 나온 '혹성탈출 : 종의 전쟁'에 대해서 알아보도록 하겠습니다. 이 작품의 원제는 'War for the Planet of the Apes(유인원의 혹성을 위한 전쟁)'이지만 위의 영화와 마찬가지로 우리말 제목은 이와 많이 다르고요, 여기서 '종(種, Species)의 전쟁'이란 인간과 유인원 간의 전쟁을 뜻하지요. '유인원(類人猿, Apes)'은 말 그대로 '인간과 유사한 원숭이(영장류)'이고 일반적으로는 침팬지, 오랑우탄, 고릴라 등을 지칭하는 것으로 알려져 있지만 생물분류학적으로는 인간도 이에 포함되기에 단어 자체가 어불성설(語不成說)이라고 하겠습니다. 인간은 인간일 뿐 인간과 유사할 수는 없는 노릇이니까요. 물론 인간은 영어로는 'Great Apes'인 '대형 유인원류'의 한 종류이기도 하기에 '유인원'이라는 명칭을 그냥 놔둬도 될 지 모르겠지만 이보다는 '인간 및 인간과 유사한 영장류'라고 하는 것이 보다 더 정확할 것 같다는 생각입니다. 물론 영화 제목을 이렇게 쓰면 너무 길어지니 교육용 교재에만 그렇게 했으면 좋겠다는 것이죠. ^^. 말이 나온 김에 한 마디 더 보태자면, '혹성탈출'이란 제목 자체도 일본에서만 사용하는 일본식 한자인 '혹성(惑星, 별자리 사이에서 갈팡질팡 위치를 옮기는 별)'이 포함돼 있으니 엄밀하게 말하면 잘못된 것이죠. 현재 시점으로 'Planet'에 대한 올바른 우리말 번역은 '행성(行星, 별자리 사이를 움직이는 별)'이며, 한자 문화권에 속하는 나라들의 대부분이 이 '행성'이라는 명칭을 사용합니다. 지구를 포함한 행성들은 '갈팡질팡' 이동하는 것이 아니라 일정한 주기와 궤도를 따라 이동하므로 '행성'이 더 올바른 표현이라고 할 수 있겠지요.

자, 그럼 여기서 다시 이 장의 서막을 장식했던 '발걸음'이라는 노래로 돌아가 보도록 합시다. 아마 이 글을 읽으시는 여성분들 가운데는 '~기억해 내가 아파했던 만큼 언젠간 너도 나 아닌 누구에게 이런 아픔 겪을 테니~'라는 가사를 들으며 "이런, 헤어진 마당에 배포 넓게 옛 연인의 행복을 빌어주면 될 것이지 남자가 뒤끝은 있어가지고..."라고 생각하시는 분도 계실 것 같습니다. 어찌 보면 노래 속 남자의 태도는 '내가 당했으니 너도 한 번 당해봐라'는 식의 보복 심리와 함께 (가슴 저린 이별 후 깊은 슬픔에 빠진) 남의 불행에 은근한 쾌감을 느끼는 심리 상태를 뜻하는 독일어인 'Schadenfreude(샤덴프로이데)'와도 상통한다고 하겠습니다. 이는 시기의 대상이 곤경에 처했을 때 단순히 냉담하게 반응하는 것을 넘어 속으로 큰 기쁨을 느끼는 것을 뜻하죠. 예를 들어 학교 때 엄친딸 또는 엄친아였던 친구가 사회에 나와서는 실패를 거듭한다던가, 또는 높은 수익을 올리면서도 사회 공헌에는 인색했던 글로벌 기업이 갑작스레 도산했을 때 짜릿한 통쾌감을 느끼는 것 등이 이에 해당된다고 되겠습니다. 음, 그런데 위 영화 속 주인공인 유인원들은 현실 속에서 인간에 대해 이런 감정을 느끼고 있지 않을까요? 즉, 자신들을 잡아다가 동물원에 가둬놓고는 구경거리로 삼고, 개발이라는 명목 하에 서식지를 파괴하는 것은 물론 가죽과 고기를 얻기 위해 밀렵도 서슴지 않는 인간들이 범죄, 전쟁, 기상 이변 등으로 인해 겪는 극심한 고통을 지켜보며 '아이고, 저것들 꼴 좋다!'라고 하면서 '샤덴프로이데'를 느끼고 있을지도 모른다는 거죠. 아, 이런 생각을 하고 있자니 제가 어릴 적 보았던 '원조 혹성탈출 1편'의 마지막 장면이 뇌리를 스쳐갑니다. 유인원이 지배하는 혹성을 탈출하려는 꿈을 끝까지 버리지 못하던 남자 주인공은 결국 그 곳이 지구이며, 인간이 일으킨 핵전쟁으로 말미암아 고등 생명체로서의 인간의 맥은 완전히 끊어져 버렸고 지능이 퇴화된 저급 인류만 살아 남았다는 것을 알게 되자 상반신만 남은 '자유의 여신상' 앞에서 무릎을 꿇고 오열하지요. "You maniacs! You blew it up! Ah, damn you! God damn you all to hell (아, 정신 나간 인간들, 당신네들이 다 망쳐 버린 거야. 지옥에 떨어져도 시원치 않을 것들)!"이라고 길길이 외치면서 말입니다. 어쩌면 영화 '혹성탈출 : 새로운 시대'에 등장하는 '프록시무스'가 혹성의 유일무이한 지배자가 되려고 했던 것도 이렇듯 어리석은 인간들과의 공존이 애초부터 불가능하다고 믿었기 때문인지도 모르겠습니다. 문득 그의 살기로 가득한 눈초리가 머리 속에 떠오르는군요.

자, 그럼 영화 '혹성탈출'이 제시한 디스토피아(Dystopia, 암울한 미래의 모습)적인 얘기는 이제 그만하고, 인도에서 벌어진 한 판 복수극을 다룬 영화 '몽키맨'을 '인간과 비슷하게 생긴 동물 제2탄'에서 소개하도록 하겠습니다. 다음 장에서 뵙죠.

제11장. Monkey Man : '도그맨' 은 개 애호가, '몽키맨' 은 연쇄살인마?

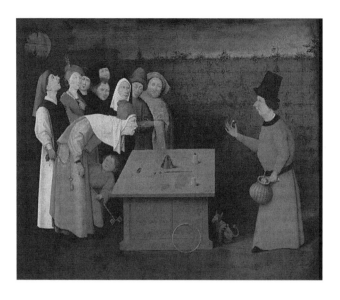

위의 'Hieronymus Bosch(히에로니무스 보쉬)'의 그림, 어디에선가 보신 적이 있으신지요? 이름하여 '야바위꾼 (The Conjurer, 1505년 작)'인 이 작품에서 그는 '네덜란드 파'의 대표 화가답게 야바위꾼 (혹은 마술사)과 그의 조수, 그리고 원숭이가 벌이는 한바탕 사기극을 회화라는 장르를 빌어 멋지게 표현해 냈지요. 그림의 내용에 대해서 간단히 설명 드리면, 작품 제일 오른편에 보이는 검은 모자를 쓰고 붉은 옷을 입은 야바위꾼은 '컵과 공(Cups and balls)'이라는 마술 (혹은 속임수)로 구경꾼들의 혼을 쏙~

빼놓고 있는 중입니다. 이 마술은 뒤집어 놓은 컵 밑의 공이 어디론가 홀연히 사라져버리거나 뜬금없이 옆의 컵 밑에서 나오기도 하고, 또는 한 개였던 공이 두 개가 되거나 한 순간에 다른 빛깔로 바뀌는 트릭이지요. 만일 이 자가 관객들에게 마술을 보여주고는 구경 값만 걷어 간다면 많은 사람들에게 큰 즐거움을 전해 주는 훌륭한 엔터테이너라고 할 수 있겠지만, 이 야바위꾼의 전광석화와 같은 재빠른 손놀림에 많은 사람들이 넋을 잃은 가운데 그와 한 통속임이 분명한 맨 왼편의 남자가 앞사람의 지갑을 슬쩍~ 하고 있습니다. 이 둘 외에도 이 그림에서는 원숭이 한 마리가 눈에 띄는데요, 옛날 유럽이나 미국에서는 이들과 같이 거리에서 야바위나 마술 쇼 혹은 서커스를 하는 사람들이 분위기를 띄우기 위해 재주 부리는 원숭이를 데리고 다녔다고 합니다. 그런데 이런 원숭이들이 얼마나 영악했던지, 길거리에서 공연을 하다가 돌연 구경하던 사람의 모자를 낚아채거나 (원숭이의) 묘기에 정신이 나간 구경꾼의 지갑을 슬쩍 하기도 해서 '속임수'를 뜻하는 'Monkey business(몽키 비즈니스)'라는 표현이 생겨났다고 하네요.

한편 위의 그림에 등장한 야바위꾼이나 서커스단 외에도 거리에서 음악을 연주하는 '거리의 악사들' 역시 분위기를 '업'시키는 것은 물론 구경꾼들의 관심을 조금이라도 더 끌기 위해서 춤추는 원숭이를 데리고 다녔다고 하는데요, 이들 중 'Street Organ(거리 오르간)'이라는 악기(핸들을 돌려 발생시킨 소리가 구멍이 뚫린 긴 종이를 통과하면서 음악이 연주되는 일종의 기계 장치)를 연주하는 사람들을 'Organ Grinder'라고 불렀다고 합니다. 우리가 잘 아는 'Grind'의 뜻은 '(곡식 등을 잘게) 갈다', '(칼 등의 날을 세우거나 매끄럽게 하기 위해) 갈다'이지만 '(무엇인가를 갈아대는 기구의 손잡이를) 돌리다'라는 뜻도 있기에 '거리 오르간'의 핸들을 잡고 돌리는 것을 'Grind'라 표현한 것이지요. 그런데 (앞서 언급한 것처럼) 이들 중 대부분이 재주 부리는 원숭이를 데리고 다녔기에 이 악사들은 'Monkey Man'이라는 별칭으로도 불렸다고 하네요. 이 책의 앞 부분에서 소개했듯이 'Dog man', 'Pig man', 'Cat man', 'Cow man' 등과 같이 동물의 명칭 뒤에 'Man'이 붙은 단어는 대상이 되는 동물을 좋아하거나 사육하는 사람을 뜻하기에 'Monkey man' 역시 원숭이를 키우거나 혹은 이 악사들처럼 원숭이를 데리고 다니면서 돈벌이를 하는 사람이 되겠습니다.

음, 그런데 얼마 전 동명의 영화(Monkey Man, 몽키 맨)가 개봉했더군요. 주연은 아카데미 작품상에 빛나는 '슬럼독 밀리어네어(Slumdog Millionaire)'에서 주인공으로 나왔던 '데브 파텔(Dev Patel)'이 맡았고 말이죠. 그럼 여기서 이 장의 주인공이기도 한 이 작품의 줄거리를 간단히 살펴보도록 하지요. '키드'와 그의 가족은 인도의 어느 빈민촌에서 살고 있었는데 그 곳의 땅을 빼앗으려는 부패한 종교 지도자와 경찰(라나)의 무자비한 공격을 받아 키드의 어머니는 살해되고 키드는 손에 심한 화상을 입고서 가까스로 탈출하게 됩니다. 어느덧 세월이 흘러 어른이 된 키드는 불법 파이트 클럽에서 원숭이 가면을 쓰고 격투를 하며 어렵게 살아가지만 라나에 대한 복수심은 결코 버리지 못하죠. 그러던 어느 날 일반 클럽으로 위장한 도박장에 라나가 자주 드나든다는 것을 알게 된 그는 모든 수단과 방법을 동원해서 그곳에 일자리를 얻게 되고요, 마침내

라나의 얼굴에 총을 겨누지만...철저한 준비 없이 무작정 시작한 복수극이었기에 실수를 연발하며 기회를 놓치고 맙니다. 결국 경찰에게 쫓기게 된 키드는 경찰이 쏜 총에 맞고 죽을 운명에 처하지만 수도승 집단인 '히즈라'의 도움을 받아 육신과 정신의 건강을 회복한 후 그는 이제 어머니의 복수뿐 아니라 사회에서 버림 받은 사람들을 위해 악에 대항해 싸우기로 결심하게 되지요.

그렇다면 바로 여기서 한 가지 의문이 가슴 속에서 뭉게 뭉게 솟아납니다. 그것은 바로 키드는 대체 왜 밀림의 제왕인 호랑이가 새겨진 '타이거 마스크'나 '쾌걸 조로'의 '여우 가면'도 아닌 '원숭이 가면'을 쓰고 싸우냐는 것이죠. 이는 키드가 어릴 적 어머니가 그에게 항상 들려주던 인도 전통 신화에 등장하는 한 원숭이 신(神)에 대한 이야기에 기반을 두고 있는데요, 그 신화에 따르면 극악무도한 마왕이 땅을 불태우고 사람들을 괴롭힐 때마다 흰 원숭이가 나타나 이들과 맞서 싸웠다고 하며, 그 흰 원숭이는 반은 인간이고 반은 원숭이인 힌두교의 신인 '하누만 (Hanuman)'이라고 합니다. 하지만 실제 신화 속의 '하누만'

은 이와는 조금 다르고요, 몸이 커졌다가 작아지기도 하고 다른 동물로 변신할 수 있는 능력을 지녔던 그는 배가 고파 태양을 망고로 착각해 삼킨 것에 더해 '인드라'라는 신(神)의 코끼리마저 삼켰다가 그 벌로 번개에 맞아 지상에 떨어지면서 턱이 부서졌다고 합니다. 산스크리트어로 '하누'는 턱, '만'은 '부서진'이라는 의미이기에 그의 이름인 '하누만'은 본래 원숭이와는 전혀 관계없는 '부서진 턱'이라는 뜻인 것이죠. 한 때 한낱 말썽쟁이에 불과했던 그였지만 (인도) 북쪽 나라의 왕인 '라마'에게 충성을 맹세하면서 변신술을 비롯한 그의 능력을 되찾게 되었고, 남쪽 나라 사람들이 라마의 신부를 납치해가자 원숭이 부하들과 함께 큰 공을 세워 진주 목걸이를 상으로 받았다고 합니다. 이렇듯 신화 속에서 큰 활약을 한 하누만은 현재까지도 인도에서는 민첩성, 충성심, 도덕성을 뜻한다고 하고요, 그래서 위의 영화에서도 키드가 그의 가면을 쓰고 악을 응징하기 위해서 싸우는 것이랍니다. 여담입니다만, 인터넷에서 하누만의 사진을 찾아 보시면 우리에게도 친숙한 손오공과 굉장히 비슷하게 생겼다는 것을 알 수 있는데요,

실제로 이 하누만이 손오공 이야기의 모티브가 된 것이라는 주장도 있습니다. 그런데 이러한 주장을 전혀 터무니없는 것으로 치부하기도 어려운 것이, 하누만이 라마왕을 만나기 전까지는 굉장히 말썽쟁이였던 것처럼 손오공 역시 삼장법사를 만나기 전까지는 아무도 못 말리는 개구쟁이였고요, 아울러 손오공이 주인공으로 등장하는 소설의 내용 자체가 삼장법사와 손오공 일행이 하누만의 고향인 서역(인도)으로 불경을 가지러 가는 이야기를 담고 있기 때문이기도 하지요. 결론적으로 '하누만 ≒ 손오공'이란 공식이 성립하는 것은 물론이고, 우리가 속한 한자 문화권의 관점에서 보자면 이 영화는 주인공이 손오공 가면을 쓰고 악에 대항하는 것이나 마찬가지인 것이죠. 단 한 가지 차이점이라면, 손오공이 보통 친근하고 코믹한 캐릭터라면 여기에 등장하는 몽키맨은 단순한 개인적인 복수를 넘어 거대한 사회 부조리에 저항하는 '다크 히어로(Dark Hero)'라는 것이 되겠습니다.

한편 앞서 소개한 것과 같이 'Monkey Man'은 '원숭이를 기르는 사람', '(거리 오르간을 연주하는) 거리의 악사',

'원숭이 가면을 쓴 사람' 등의 뜻이지만 속어로는 '원숭이처럼 행동하는 사람(A man with simian characteristics)', '마약 중독자(A person who does drugs)', '(원숭이처럼) 온 몸에 털이 많은 사람(a hairy man)'을 의미하기도 한다니 참고하시기 바랍니다. 그리고 'Monkey Man'과 같은 뜻인 'Organ Grinder'는 때로 연쇄 살인범을 뜻하기도 하는데요, 그 이유는 'Organ'이 악기인 '오르간' 외에도 '장기(臟器, 내장의 여러 기관)'란 뜻도 가지고 있기에, 또한 'Grind'는 앞서 소개한 것처럼 '갈아버린다'는 의미라서...아, 너무 구체적으로 얘기하기보다 여기서 그만하는 게 좋을 것 같고요, 특정 연쇄 살인범들의 범죄 시그너처(Signature, 범인이 현장에 남기는 고유한 범죄 패턴)가 그러하다는 이유로 일부 언론에서 이들을 'Organ Grinder'라고 부르기 시작한 것이 그 시초라고 합니다. 그런데 바로 이 순간 갑자기 영화 '파고(Fargo, 1996년 작)'의 한 장면이 머리 속에 떠오르는군요. 너무 끔찍한 장면이기에 여기서 자세히 묘사하기는 좀 그렇고, 이와 관련된 한 가지 팁을 드리자면 한 살인범이 목재 분쇄기에 뭔가를 집어 넣고 열심히 갈아대는(Grind) 장면입니다...

　　자, 그럼 여기서 다시 이 장의 문을 열었던 '히에로 니무스 보쉬'의 그림으로 돌아가 보도록 합시다. 이 작품에 등장하는 야바위꾼 역시 원숭이를 데리고 다니며 돈벌이를 하기에 또 다른 '몽키맨'이라고 할 수 있을 것입니다만, 우리가 속한 한자 문화권에서 가장 역사가 깊고 유명한 '몽키맨'은 '조삼모사(朝三暮四)'라는 고사성어에 등장하는 '저공(狙公)'일 것입니다. 너무나 유명한 고사성어이기에 그 배경을 아주 간단히만 소개해 보면, '중국 송나라에서 원숭이를 키우던 저공이 형편이 어려워져 원숭이들에게 먹이를 아침에 세 개, 저녁에 네 개씩 주겠다고 했더니 원숭이들이 적다고 화를 내고, 아침에 네 개, 저녁에 세 개씩 주겠다는 말에는 좋아하였다'는 것이지요. 우리나라에서는 이 고사성어가 '얕은 꾀로 상대방을 농락함' 혹은 '눈 앞의 이익만을 쫓는 어리석음'을 비유하는 것으로 사용됩니다만 어떤 의미이건 '원숭이의 어리석음'이 그 밑바닥에 깔려 있습니다. 헌데 서양에서는 어떻습니까, 앞서 언급했던 것처럼 'Monkey business'가 '사기', 속임수'란 뜻인 것에서도 알 수 있듯이 서양인들은 원숭이를 영리하고 손재주가 좋으며 발도 빨라 여러 가지 묘기를 부리는 것은 물론 행인의 모자를 낚아채서 도망가기도 하고 신기한 구경에 정신이 팔린 행인의 지갑을 슬쩍 하기도 하는, 어리석기는커녕 오히려 사람을 가지고 노는 영악한 동물로 여겨왔지요. 이처럼 서양과 우리가 속한 극동(Far East) 지방의 원숭이에 대한 인식이 완전히 다른 것에 더해 '하누만'의 사례에서도 알 수 있듯이 동남아시아에 위치한 인도에서는 원숭이를 신으로 추앙해 왔다고 하니 여기서 우리는 인간이 원숭이를 인식하는 제3의 관점을 볼 수 있습니다. 아울러 이 작품은 인도 혈통이지만 영국인인 '데브 파텔'이 주연과 감독을 맡았고, 미국의 인종차별 문제를 다룬 'Get out'의 감독을 맡았던 미국인 '필 조던(Peele Jordan)'이 제작에 참여했다니 굉장히 다양한 관점과 문화가 절묘하게 조화를 이룬, '필 조던'의 말에 따르자면 'very distinct action vibe(매우 독특한 개성과 분위기를 풍기는 액션 영화)'일 것으로 기대됩니다. 마지막으로 다소 여담에 가깝습니다만 앞서 등장한 '조삼모사'에 관련된 이야기 몇 가지를 소개하면서 이 장을 마무리하도록 하겠습니다. 이 고사성어에 등장하는 '저공(狙公)'은 저(狙)가 '원숭이'라는 뜻이기에 성씨가 '저(狙)'란 사람이 아닌 '원숭이를 키우는 사람'이라는 의미고요, 우리는 이 고사성어를 '얕은 꾀로 상대방을 농락함' 혹은 '눈 앞의 이익만을 쫓는 어리석음'이라는 의미로 자주 사용하지만 중국에서는 '변덕이 심하다'라는 뜻으로 더 많이 쓰인다는 것도 참고하시기 바랍니다. 그리고 정말로 마지막으로(^^), 이 고사성어 속의 저공이 원숭이들의 먹이로 도토리를 줬다고 알려져 있지만 백과사전에는 열매나 과일을 의미하는 '果子'를 줬다고 되어 있기에 '도토리'가 아닌 '과일' 혹은 '먹이'라고 보는 것이 더 맞을 것 같습니다. 원숭이가 바나나나 자몽을 좋아한다는 말은 많이 들어봤지만 도토리를 좋아한다는 말은 금시초문이니 더더욱 그렇죠. 자, 그럼 '조삼모사'의 탄생 비화에 숨겨진 이야기를 끝으로 이 장을 마무리하고요, 다음 장에서는 'Cat Person'이라는 영화를 소개하면서 이 영화 제목의 뜻은 물론 'Cat Man'과 'Cat People'의 뜻도 함께 알아보도록 하겠습니다.

제12장. Cat Person : 같은 듯 다른 'Cat Man', 'Cat People', 그리고 'Cat Person'

"그 영화, 내가 지난 주말에 우리 형이랑 OO극장 가서 봤는데, 너, 그 영화 보면 눈은 왕방울만하게 커지고 간은 콩알만하게 쪼그라들걸? 푸하하하~"

때는 1983년, 해외에서 발생한 일련의 대형 참사로 인해 대한민국 전체가 어수선하던 그 해 가을, 제가 살던 동네의 한 동시상영관 (영화 두 편을 연달아 이어서 상영하는 극장)에서 'Cat People(캣 피플)'이라는 영화를 상영한다는 것이 아닌가요. 그것도 이름도 야리꾸리(?)한 국산 애로영화와 함께 말입니다. 당시는 몇 해 전 군사 쿠데타로 정권을 잡은 정부에서 소위 말하는 '3S (Sex – Sports – Screen)' 정책을 한창 펼치던 때였던 지라 제가 다니던 중학교 근처에도 의상비가 전혀 들지 않았을 듯한 성인 영화의 포스터를 마구마구 붙여 놓곤 했었지요. 그리고 그 중에서도 가장 군계일학(群鷄一鶴)이었던 영화는 바로 게슴츠레한 'Bedroom eyes(선정적이면서 유혹적인 눈길)'와 섹시함이 넘쳐흐르는 두툼한 입술을 자랑하던 독일 여배우 '나타샤 킨스키(Nastassja Kinski)'가 출연한 'Cat People'이었습니다. 지금 같으면 상상도 못할 일이지만 1980년

대에 (서울) 변두리에 위치한 동시 상영관들은 '미성년자 관람 불가'인 영화를 상영하면서도 돈을 벌 욕심으로 못이기는 척하며 청소년들을 입장시키곤 했는데요 (당연히 99.9%가 남학생 ^^), 그래서 저와 같은 반 친구들 중에 좀 논다 하는 녀석들은 죄다 동네 동시 상영관에서 그 영화를 보고 와서는 얼마나 자랑질(!)을 해대던지 정말로 부럽더군요. 결국 유혹에 굴복해 버린 저는 2학기 기말고사가 끝난 어느 일요일 아침 그 영화를 보기 위해 한 친구와 함께 극장으로 향했지요. 아니, 그런데 이게 웬일입니까, 호랑이 선생님으로 악명(!)이 자자하던 우리 학교 3학년 체육 선생님이 극장 옆 시장통에서 갑자기 나타나는 것이 아닙니까! 너무 놀란 그 친구와 저는 곧바로 뒤로 돌아 집으로 줄행랑을 쳤죠. 아쉽게도 그로부터 40여 년이 지난 지금까지도 그 영화를 보지 못했습니다만, 굉장히 오래된 영화이기도 하고 그 동안 선정적이면서 엽기적인 영화는 세상에 줄기차게 쏟아져 나왔기에 지금 본다면 별다른 느낌이 없을 것 같기도 합니다...그런데 그 때는 무슨 바람이 불어서 학교에서 정학 맞을 각오를 하고 그 영화

를 보러 갔는지 지금은 전혀 이해가 되지 않을 뿐이고요
^^.

　자, 이번 장의 주인공은 최근(2024년 6월)에 개봉한
'Cat Person'입니다만 제 쓰라린(?) 경험과 맞물려 있으면
서 'Cat Person'과 비슷하게 보이기도 하는 'Cat People'로
문을 열어봤습니다. 그런데 이 'Cat People'이라는 영화 제
목, 엄밀히 말하면 영어로 'Leopard People'이나 'Jaguar
People'이 되어야 맞다는 거 아시나요? 왜냐면 주인공(나
타샤 킨스키)의 가족은 성적(性的)으로 흥분하면 (고양이가
아닌) 표범이 되고, 사람으로 변신하기 위해서는 형제-자
매끼리 근친상간 관계를 맺거나 사람을 살해해야만 하기
때문입니다. 따라서 이들 가족은 '표범 인간'이지 '고양이
인간'은 아니라는 것이죠. 허나 생물분류학적으로 표범은
'고양이 과'에 속하기에, 또한 고양이는 개와 더불어 인간
과 가장 친한 반려동물이기에 이런 제목을 갖다 붙인 것
으로 보입니다. 제목에서 빠져버린 '표범' 입장에서는 좀
억울해 할 만도 하지만 우리 말로는 모두 '표범'이라고 할
'Jaguar', 'Cougar', 'Leopard', 'Panther', 'Puma' 등등이 죄다

글로벌 스포츠 용품이나 고급 승용차 브랜드, 그리고 영화 주인공으로 이름을 날리고 있으니 이제는 기억 저편으로 멀리 사라져 버린 고전 영화의 제목에서 빠졌다고 해서 너무 억울해 할 필요가 없을 것 같기도 하네요.

그럼 이번엔 이 'Cat People'과 같은 듯 다른 이번 장의 주인공 'Cat Person'으로 넘어가 보도록 합시다. 먼저 이 영화의 간략한 줄거리입니다. 이제 막 스무 살이 된 여대생 '마고'는 극장에서 알바를 하던 중 우연히 만난 고양이를 키운다는 남자 '로버트'에게 호감을 갖게 됩니다. 건장한 체격, 품격있는 영화 취향, 늦은 밤에도 그녀를 위해 음식을 사다 주는 자상함까지 갖춘 로버트와 알콩달콩 사랑을 키워가던 마고였지만 데이트를 하면 할수록 그녀의 설렘은 점점 공포로 변해갔고, 그가 실제로는 고양이를 키우지도 않으면서 거짓말을 했다는 사실까지 알게 되며 그의 본색에 대해 점점 더 짙은 의심을 하게 되지요. 그와 함께 하루 밤을 보낸 후 그녀는 결국 "This is the worst life decision that I've ever made (이건 내가 살면서 저지른 일 중에 정말로 최최악이야)!"라고 울부짖으며 로버트의

곁을 떠나리라 결심하지만 행여나 그가 자신을 해코지할 수 있다는 망상 때문에 갈팡질팡하는 동안 둘 간의 관계는 점점 더 꼬여만 가고, 그녀의 모든 일상이 무너져 내리기 시작합니다.

바로 이 대목에서 'Cat Person', 'Cat Man', 그리고 'Cat People'의 뜻에 대해 소개 드리면, 기본적으로 이들은 모두 같은 뜻이라고 할 수 있습니다. 즉, 이들 표현은 다 '고양이를 좋아하고 키우는 사람'이라는 의미이지요. 하지만 앞서 등장했던 '개를 좋아하고 키우는 사람'을 뜻하는 'Dog Man'이나 'Dog Person'과는 차원이 조금 다르다고 할 수 있는데요, 이는 개와는 다른 고양이의 품성에서 기인합니다. 반려 동물, 특히 개와 고양이를 함께 키워보신 분들은 잘 아시겠지만 대부분의 개는 인간을 잘 따르고 주인에게 순종적입니다만 고양이는 (비록 품종 등에 따라 총 다섯 가지의 성격 유형이 있다고는 하지만) 일반적으로 독립적이고 도도한데다가 자기가 기분이 나쁘면 사람이 아무리 친한 척을 해도 앙칼진 반응을 보이기도 하죠. 이러한 고로 개를 기르는 사람은 '개 주인' 혹은 '개 엄마'

나 '개 아빠'라고 부르지만 고양이를 기르는 사람은 '고양이 집사'라고 부릅니다. 이는 주인을 자기보다 서열이 높은 존재로 인정하지 않는 것은 물론 복종도 충성도 하지 않으니 반려 동물을 키우는 것이 아니라 상전을 모시는 것과 같다는 뜻에서 나온 말이라고들 하지요. 위의 영화 속에 나오는 로버트 역시 개를 키우는 남자보다는 고양이 키우는 남자가 마치 '집사'처럼 상대의 감정을 잘 헤아려 24시간 맞춰 주고 성심성의껏 섬긴다는 사회적인 인식이 있기에 마고에게 잘 보이기 위해서 고양이를 키운다는 거짓말을 한 것이라는 합리적인 추론이 가능합니다.

헌데 'Cat Man'과 'Cat People'에는 위의 '고양이를 기르는 사람'이란 뜻 이외에 다른 뜻이 있기도 한데요, 'Cat'의 본래 뜻은 '고양이'지만 넓게는 '고양이 과에 속한 동물'을 지칭하기도 하기에 'Cat Man'은 서커스를 하는 사자, 호랑이 등 고양이 과에 속하는 맹수를 훈련시키고 돌보는 서커스 단원을 의미하기도 합니다. 반면 'Cat People'은 보통 사람과는 생각과 행동이 다른 사람들, 즉 이른바 '4차원'인 사람들을 지칭하기도 한다고 하네요. 아마도 독립적이면서도 도도한 고양이의 성격에서 유래한 뜻이 아닐까 생각됩니다. 그리고 'Cat People'에는 앞서 소개한 영화에서 유래한 때와 상황에 따라 인간 혹은 표범으로 모습을 바꾸는 '반인반묘 (半人半猫)'라는 의미도 있지요. 하지만 이 영화와는 별개로 인류 역사 속의 '반인반묘'는 이집트 신화에 등장할 정도로 오랜 전통을 가지고 있습니다. 고대 이집트에서 고양이는 곡식을 지키는 파수꾼 역할을 했기에 얼굴은 고양이이고 몸은 사람인 여신 '바스테트 (Bastet)'를 탄생시키기도 했는데요, 당시 고양이의 역할이 얼마나 컸는지 처음엔 모성(母性)과 다산(多産)을 의미했던 이 여신은 점차 이집트 전체를 지키는 신으로 추앙 받았다고 합니다.

자, 그럼 이 영화의 예고편에 소개된 주요 (영어) 표현들을 알아보며 이 장을 마무리하고 다음 장으로 넘어가도록 하겠습니다. 제일 먼저 "His eyes are nice, they crinkle"이라는 마고의 대사입니다. 'Crinkle'은 우리에게 그리 친숙한 단어는 아닙니다만 '잔주름' 혹은 '잔주름이 생기다'라는 뜻이죠. 사전적인 뜻에 근거해서 이 문장을 해석해 보면 "난 그 사람 눈이 마음에 들어, 잔주름이 있어서"가 되겠지만 조금 의역하면 "난 웃을 때 눈가에 잔주름이 생기는 그 사람이 너무 좋아" 정도가 될 것 같습니다. 앞서 소개한 대로 'Crinkle'의 원뜻은 '잔주름'입니다만 실생활에서는 '웃을 때 눈가에 생기는 잔주름'을 의미하기도 합니다. 흠, 그런데 그 잔주름이 왜 좋을까요? 아마도 상대방의 얼굴에 생긴 잔주름이기에 좋게 보이겠죠. 자기 얼굴에 맺힌 눈가의 잔주름은 노화의 징후이기에 절대 좋게 보이지 않습니다. 아무리 활짝 웃고 있을 때라도 말이죠... 한편 'Crinkle'이 눈가에 맺힌 잔주름이라면 'Wrinkle'은 이보다 훨씬 깊은 이마에 맺힌 주름을 뜻합니다.

그 다음으로 소개할 단어는 'Smooch'입니다. 이는 기본적으로 'Kiss'와 같은 뜻으로, 명사와 동사 모두로 사용됩니다. 그리고 보통 두 남녀가 서로 가까이 밀착해서 춤을 추는 것을 의미하기도 하죠. 또한 이 단어는 의성어로도 쓰이는데요, 만화에서 '쪽! 쪽!' 하고 키스하는 것을 'Smooch! Smooch!'라고 표현하지요. 여담입니다만 차가 급정거를 할 때 타이어가 '끼이익'하는 소리는 내는 것은

'Screech', 누전 사고로 전기가 '지지직'거리는 것은 'Crackle'이라고 하지요.

마지막으로 소개할 표현은 어쩌면 연애를 하고 있는 모든 연인들에게 적용되는 조언 내지 충고가 될 지도 모르겠는데요, 마고가 로버트와의 결별을 심각하게 고민하자 그녀의 여자 베프는 이렇게 얘기합니다. "If you want to get along with a man, make peace with a little discomfort" 라고 말이죠. 이를 조금 의역해보면 "남자랑 계속 사귀려거든 (그 사람한테) 마음에 안드는 단점이 있어도 좀 참아" 정도가 될 듯 합니다. 굳이 사전을 펼치지 않아도 짐작이 가능한 'make peace with'의 뜻은 '상대방과 싸움과 논쟁을 멈추고 사이 좋게 지내기 시작하다', 즉 '화해하다'가 되겠습니다. 위의 영화 속 대사에서는 'a little discomfort' 와 'make peace (with)'하는 것이니 그의 나쁜 점이 마음에 안들어서 불편하더라도 조금 더 참으면서 계속 관계를 유지해보라는 충고가 되겠죠. 음, 성경에도 'If it is possible, as far as it depends on you, live at peace with everyone (만일 가능하다면, 그리고 당신이 상황을 좌지우지 할 수 있다면, 모든 이들과 평화롭게 지내라)'는 구절이 나오기도 합니다만...이미 상대방에 대한 사랑이 차갑게 식었다면 당연히 더 이상 'get along'할 필요도, 더 이상 참아야 할 필요도 없겠죠. 위의 영화 대사는 상대방과의 관계를 지속할 것인가 아니면 끝낼 것인가에 대해 목하 고민 중인 연인들에게 좋은 충고가 될 수도 있겠지만, 이에 대한 궁극적인 결정은 결국엔 각자가 내려야 하는 것이죠.

자, 그럼 여기서 다시 영화 'Cat People'로 돌아가 보도록 합시다. 앞서 말씀 드린 것처럼 이 영화 속에 등장하는 '표범 인간' 가족은 사람으로 변신하기 위해서는 형제-자매끼리 근친상간 관계를 맺거나 사람을 살해해야만 합니다만, 주인공인 '이레나(나타샤 킨스키)'는 이 모든 것을 거부하고 자신이 진정 사랑하던 '올리버'와 사랑을 나누고는 영원히 표범이 되는 쪽을 선택합니다. 그리고 이 영화의 마지막 장면에서 이제는 동물원 우리에 갇혀 죽을 때까지 표범으로 살아야만 하는 이레나에게 올리버가 먹을 것을 주고는 그녀의 목을 부드럽게 쓰다듬지요. 음, 그렇다면 앞서 소개한 것처럼 '사자, 호랑이 등 고양이 과에 속하는 맹수를 돌보는 사람'을 영어로는 'Cat Man'이라 하기에 어떤 측면에서 올리버는 이제 'Cat Man'이 된 것이고요, 이레나는 태어날 때부터 'Cat People'이었으니 이제이 둘은 모두 우리 말로는 '고양이 인간'이 되었다고도 할수 있을 것 같습니다. 하지만 아무리 둘 다 '고양이 인간'이라고 해도 이제는 더 이상 예전과 같이 뜨거운 사랑을나눌 수는 없겠습니다만 말이죠...

여기까지가 영화 'Cat Person'과 그와 관련된 내용이었고요, 이 장에서는 '고양이 과'에 속한 동물들을 소개했으니 다음 장에서는 이의 라이벌이라 할 수 있는 '개 과'에 속한 맹수들에 대한 얘기를 풀어보기로 하겠습니다. 다음 장의 주인공은 우리 영화 '늑대사냥'입니다.

제13장.늑대 사냥 (Project Wolf Hunting) : 'Wolf'는 속어로 '멋진 남자'? 그럼 'Wolf Hunter'는?

'~ 그 소리는 노를 물에 담그라는 신호였다. 강기슭의 진창에서 얼마쯤 떨어진 곳에 노아의 방주처럼 시커먼 폐선 감옥선이 정박해 있는 모습이 횃불 아래 드러났다. 녹이 슨 거대한 쇠사슬 닻줄이 휘감고 가로지르고 잡아매고 있는 감옥선은 어린 내 눈에는 마치 족쇄를 차고 있는 죄수같이 보였다. 우리는 보트가 감옥선 옆으로 다가가고 뒤이어 그가 감옥선으로 끌어 올려져 사라지는 모습을 지켜보았다. 그리고 나서 이제 그 광경과 함께 모든 일이 끝났다는 듯 횃불들이 쉿 소리를 내며 물속으로 던져져 빛을 잃었다. ~'

이번 장은 영국 빅토리아 시대(1837년~1901년)를 대표하는 대문호인 'Charles Dickens(찰스 디킨스, 이하 디킨스)'의 소설 'Great Expectations(위대한 유산)'의 한 단락으로 시작해 봅니다. 당시 유럽의 주요 항구와 포구에는 'Prison Ship' 혹은 'Prison Hulk'라 불리는 '감옥선'이 정박해 있었는데요, 특히 디킨스의 고국인 영국에 그 숫자가 제일 많았다고 합니다. 본래 영국에서는 죄수를 땅 위에 있는 교도소에 감금했었지만 산업혁명이 촉발한 극심한 빈부 격차로 인해 발생한 생계형 범죄자와 식민지 쟁탈 전쟁에서 사로잡은 포로의 숫자가 급증하며 기존 시설이 수용할 수 있는 한계를 훌쩍~ 넘어서자 궁여지책으로 오래되거나 파손된 배를 '감옥선'으로 개조한 것이었죠. 그곳에 갇힌 죄수들은 발에 족쇄를 찬 채 하루 종일 중노동을 하고 형편없는 음식과 열악한 위생 상태로 극심한 고통을 받았다고 하는데요, 이 소설은 런던 템스 강 유역에 정박해 있던 죄수선에서 'Abel Magwitch(아벨 매그위치)'라는 죄수가 탈옥하며 주인공인 'Pip(핍)'과 만나는 장면에서부터 본격적으로 전개되지요. 한편 영국에서는 죄인들을 정박 중인 배에 감금하는 동시에 그 중 일부는 죄수선에 태워 멀리 아메리카 대륙으로 유배하기도 했는데요, 1783년 미국이 영국으로부터 독립하면서 죄수들을 보낼 곳이 없어지자 그 후에는 호주로 보내기 시작했다고 합니다. 그리고 바로 이들이 지금의 호주를 건설한 주역들이라고 할 수 있고요. 이처럼 영국 정부는 죄수들을 해외 식민지로 보내기도 했습니다만 이와는 반대로 해외에서 체포한 중 범죄자들을 죄수선에 태워 한국으로 송환하는 것을 소재로 한 영화 한 편이 2023년 가을에 개봉했으니, 그 영화의 제목이 바로 '늑대사냥 (영문명 Project Wolf Hunting)'이 되겠습니다.

그럼 여기서 이 영화의 줄거리를 간략히 소개해 보도록 하지요. '프론티어 타이탄호'는 필리핀에서 체포된 극악무도한 한국인 범죄자들을 한국으로 송환하는 선박, 즉 일종의 '죄수선'입니다. 그곳에 수감되어 이송되는 범죄자 중 일급살인범인 '박종두'는 그 일당과 함께 선상 반란을 일으켜 경찰로부터 선박을 탈취합니다만...2차 세계대전 당시 일제의 생체 실험 과정 중 늑대 유전자가 신체에 주입되면서 인간의 5배가 넘는 신체 능력을 갖게 된 '알파'가 등장하며 영화는 새로운 국면으로 접어들게 됩니다.

영화 초반의 스토리를 무자비한 살인을 저지르며 호송선을 장악한 죄수들이 이끌어 가기에 '늑대 사냥'에서의 '늑대'가 이들을 가리킨다고 생각하기 쉽지만, 극 중반부터 늑대 유전자를 가진 '알파'가 등장하면서 '늑대'의 정체가 무엇인지 확실해지지요. 아울러 이러한 영화의 결말은 다소 뻔~하기에 그 제목이 '늑대 사냥'인 것일 테고 말이죠. 한편 속어로 'Wolf'는 '범죄자', 특히 '상대방의 의사와는 상관없이 강압적으로 성적(性的)인 학대를 일삼는 자'를 의미하기에 'Wolf Hunt'는 이러한 범죄자를 때려 잡는 것을, 그리고 'Wolf Hunter'는 그런 일을 하는 사람인 '경찰(Police Officer)'을 뜻하기도 합니다. 또한 'Wolf'가 '근육질의 남성'을 의미하기도 하기에 "Wolf Hunter'는 그런 남자의 마음을 사로잡은 여성을 가리키고요, 'Wolf' 앞에 'fine'이 붙은 '(a) fine wolf'는 속어로 '멋있고 잘생긴 젊은 남성'이라고 하네요.

다음으로는 'Wolf'가 포함된 몇 가지 영어 표현을 살펴보고 결론으로 넘어가도록 하겠습니다. 첫 번째 차례는 '이솝 우화'에 등장하는 '거짓말쟁이 양치기'와 관련된 'cry wolf'가 되겠습니다. 이 숙어는 이와 관련된 너무나도 유명한 우화의 내용만 알아도 그 뜻을 어느 정도 예측할 수 있는데요, 이는 '도움이 꼭 필요하지도 않으면서 도와달라고 큰 소란을 피우다', '(위험이 존재하지 않는 상황에서) 허위로 도움을 요청하다'라는 뜻입니다. 우리나라에서는 이 우화의 내용에 근거해 '양치기 소년'이라고 하면 대부분 '거짓말쟁이' 혹은 '장난 삼아 다른 사람을 골탕 먹이기를 좋아하는 사람'을 의미합니다만 같은 우화에서 유래한 이 영어 숙어의 뜻은 좀 다른 듯합니다. 한편 일부 비양심적인 정치인들이 국민들의 시선을 자신의 부정부패가 아닌 실제로는 존재하지도 않는 안보나 경제 문제로 돌리기 위해서 'cry wolf' 전략을 자주 사용하곤 하죠.

그 다음은 'a wolf in sheep's clothing(양의 탈을 쓴 늑대)'입니다. 이 표현 역시 이솝 우화에 나오는 이야기를 바탕으로 만들어진 숙어로서 '겉으로는 친절하고 선한 척하지만 속마음은 사악한 사람'을 가리킵니다. 이 관용구는 기본적으로 '늑대는 사악하고 양은 순하고 착하다'라는 것을 전제조건으로 깔고 있는데요, 비록 우리말에도 '양처럼 순하다'라는 말이 있기도 합니다만 '숫양'은 굉장히 난폭하고 공격적이라고 합니다. 그래서 영어로 '숫양'을 뜻하는 'Ram'에 성문을 부술 때 사용하는 '공성무기'라는 뜻이 있기도 하지요. 한편 이와는 정반대인 'a sheep in wolf's clothing(늑대의 탈을 쓴 양)'이라는 말도 있는데요, 이는 겉으로는 마치 늑대마냥 거칠고 공격적이지만 속으로는 순하고 소심한 사람을 가리킵니다. 좋고 나쁘고를 떠나 이 두 가지 성향을 가진 사람들은 모두 겉과 속이 다른 '표리부동(表裏不同)'한 인물들이라 하겠습니다.

그 다음으로 알아볼 표현은 'to throw someone to the wolves'이고요, 이를 직역하면 '~를 늑대들에게 던지다' 이기에 그 속뜻은 '고의로 ~를 위험한 상황에 몰아 넣다' 가 되겠습니다. 이와 유사한 뜻을 가진 숙어로는 'put (one's) head in the wolf's mouth(~를 늑대의 아가리로 밀어 넣다)'를 들 수 있고요. 이 표현에 딱~ 들어맞는 상황이 우리가 사는 이 세상, 특히 정치판이나 경제계에서 흔히 목격되곤 하는데요, 자신과 고위직을 놓고 한판 대결을 벌이는 정적에게 억울한 누명을 씌워 감옥에 가둬 버린다던지, 혹은 눈에 가시 같은 인물에게 실적을 내는 것이 거의 불가능한 사업을 맡겨 회사에서 자연히 도태시켜 버리는 것 등을 들 수 있겠습니다. 또한 멀리는 기독교 성경에서도 이 표현에 해당되는 사례를 찾을 수 있으니, 이스라엘의 왕이었던 '다윗'은 용맹한 장수였던 '우리야'의 아내인 '밧세바'를 취하기 위해 고의로 그를 도저히 살아 나올 수 없는 죽음의 전장으로 보내 죽게 하지요. 여담입니다만 훗날 밧세바가 낳은 다윗의 아들이 바로 그 유명한 '솔로몬왕'이랍니다...

'Wolf'와 관련해 우리가 마지막으로 알아볼 표현은 영어의 "Animal simile(동물 직유법)' 중 하나인 'as hungry as a wolf'입니다. 우리가 일상 대화 속에서 동물을 예로 들며 '사자처럼 용맹하다', '양처럼 순하다', '여우처럼 교활하다'라고 하는 것처럼 영어에도 이에 해당하는 'Animal simile'라는 것이 있는데요, 주요한 예로써 'as busy as a bee(꿀벌처럼 바삐 움직이는)', 'as eager as a beaver(비버처럼 열정적인)', 'as strong as an ox(황소처럼 튼튼한)', 'as brave as a lion(사자처럼 용맹한)', 'as gentle as a lamb(새끼양처럼 순한)', 'as sly as a fox(여우처럼 영악한)' 등을 들 수 있지요. 그리고 이 장의 주인공인 'Wolf'에 동반되는 형용사는 'hungry'이기에 'as hungry as a wolf'라고 하면

'늑대처럼 굶주린'이라는 뜻이 되겠습니다. 예전 1980년 대에 큰 인기를 얻었던 영국 그룹 'Duran Duran(듀란듀란)' 이 부른 노래 중에 'Hungry like the wolf'라는 노래가 있 기도 하지요. 한편 우리는 잔학한 살생을 일삼는 사람을 비난할 때 흔히 '동물도 제 먹을 것만 죽인다'고 합니다만, 최근 캐나다 북부에서는 늑대 무리가 갓 태어난 순록 새 끼 34마리를 죽여 일부만 먹은 채 나머지 사체를 여기저 기에 흩어 놓은 것이 목격 되었기에 이제는 기존의 'as hungry as a wolf'에 더해 'as savage as a wolf(늑대만큼 잔 인한)'라는 말도 생겨날 판입니다. 물론 늑대는 다른 동물 은 잔인하게 살해할지언정 사람처럼 동족을 대량 살상하 지는 않습니다만 말이죠...

자, 그럼 이제 다시 앞서 소개했던 '위대한 유산'으로 돌아가 보도록 합시다. 이 소설은 미국이나 영국 등에서 수 차례 영화나 TV 드라마 등으로 만들어지기도 했는데요, 그 때마다 우리나라에서는 원 제목인 'Great Expectations' 를 '위대한 유산'으로 번역해서 소개하곤 했지요. 물론 주 인공이 자신의 후원자로부터 받게 될 유산이 소설 (혹은 영화)의 전개에 매우 중요한 역할을 하기도 하지만 '기대', '희망', '가능성' 등의 뜻을 가진 'Expectation(s)'를 '유산(遺産, 다른 사람에게 물려받은 재산)'으로 번역한 것은 잘못돼도 한참 잘못됐다는 게 제 생각입니다. 이러한 저의 판단이 크게 틀렸다고 할 수 없는 것이, 이 작품에 대한 서평 중 'The title, Great Expectations, suggests the main message of the novel by Charles Dickens (이 제목은 찰스 디킨스가 소설을 통해 전하려는 주요한 메시지를 암시하고 있다). The protagonist, Pip, has **great expectations** of becoming a gentleman, thereby becoming a worthy husband for the beautiful Estella (그건 바로 주인공인 핍이 학식과 매너를 겸비한 신사가 되어 언젠간 아름다운 에스텔의 떳떳한 남편이 되려는 큰 희망을 갖고 있다는 것)'과 같은 내용을 인터넷 등에서 자주 접할 수 있기 때문이지요. 또한 'great expectation(s)'가 포함된 예문 중 'Let us hope that he will fulfill our **great expectation** (그가 우리의 큰 기대를 만족시킬 거라고 생각하며 기다려봅시다)', 'He built up an atmosphere of **great expectation** about what the report would entail (그는 그 보고서가 불러 일으킬 결과에 대해 큰 기대감을 갖게 했다)'에서도 볼 수 있는 바와 같이 'great expectations'는 '크나큰 기대'라는 뜻이기에 '위대한 유산'과는 거리가 아주~ 멀다고 하겠습니다.

그래서 어디서부터 번역이 잘못됐는지 알아내기 위해 열심히 인터넷을 뒤져 봤더니...우리가 일본 제국주의로부터 해방된 이후 해외의 여러 문학 작품을 한국어로 번역하는 과정에서 일본어 번역본을 많이 참고 했는데, 이 소설 역시 일본어 제목을 그대로 옮겨 왔다는 주장이 있더군요. 그래서 일본어 사전을 찾아 보니, 아니나 다를까, 이 소설 및 영화의 일본어 제목이 '大いなる遺産(おおいなるいさん, 위대한 유산)'이었습니다. 이외에도 우리에게 잘 알려진 '이상한 나라의 앨리스(Alice in Wonderland)' 역시 일본어 번역본인 'ふしぎのくにのアリス (이상한 나라의 앨리스)'를 우리 말로 그대로 번역하면서 본래는 '멋지고 신기한 나라(Wonderland)'에 있어야 할 앨리스를 '이상한 나라'로 보내 버렸죠. 이렇듯 잘못된 번역으로 원제목과

달라진 제목들은 이젠 너무 널리 알려져서 지금 제대로 된 제목을 갖다 붙인다면 아마 독자들은 기존의 작품과는 다른 새로운 작품으로 오해할 것만 같습니다. 이제는 이러한 명작들에게 제대로 된 (한국어) 제목을 찾아주기에는 너무 늦어버렸다는 것이죠. 하지만 그렇다 해도 영어 제목의 올바른 우리말 번역이 무엇인지는 확실히 알고 있어야 영어 실력은 물론 우리말 실력도 그에 비례해 향상 될 수 있겠지요. 그리고 이는 영어 원문의 우리말 번역뿐만 아니라 우리말 표현을 영어로 영작하는 데에도 적용된다고 하겠습니다. 1990년대 초 우리나라에서는 '쓰레기를 아무데나 버리지 맙시다' 혹은 '재활용에 앞장섭시다'라는 슬로건을 'Don't waste wastes'라고 창의적(!)으로 영작하여 전국 방방곡곡에서 사용하기도 했는데요, 이 말에 경악해버린(?) 영미권 네티즌들은 이를 활용해 다양한 밈(Meme)을 만들어 내기도 했었지요. 단순히 그들의 비웃음을 사지 않기 위한 것이 아니라 우리의 외국어 실력 향상을 위해서 올바르고 제대로 된 영어 표현을 만들어내고 또한 익히고 활용해야겠습니다! ^^.

자, 그럼 'Wolf Hunting'은 여기까지 하기로 하고, 이제 다음 장에서는 'Wolf'와 비슷하게 생긴 'Wolverine'이 등장하는 'Deadpool & Wolverine'의 제목과 관련된 여러 재미난 사실들을 알아보도록 하겠습니다.

제14장.Deadpool & Wolverine :

'Wolverine'은 '늑대새끼'

아니면 '족제비 친척'?

얼마 전 (2024년 7월) 'Deadpool & Wolverine (데드풀과 울버린)'이라는 영화가 전세계에서 개봉했는데요, 이 장에서는 제일 먼저 이 영화의 제목에 포함된 단어들의 뜻을 단도직입적으로 알아보도록 하겠습니다. 먼저 'Sexy Mother*ucker(섹시 머더퍼X)'라는 발칙하면서도 도발적인 별명을 갖고 있는 'Deadpool'부터 시작해 봅니다.

언뜻 'Dead'와 'Pool'이라는 굉장히 쉬운(?) 단어들로 이루어져 있기에 금방이라도 그 뜻을 알아차릴 수 있을 것 같지만 'Deadpool'의 의미는 생각만큼 그리 간단치가 않은데요, 우선 그 탄생 비화부터 살펴보도록 하지요. 특수부대 요원 출신인 'Wade Wilson(웨이드 윌슨, 이하 웨이드)'은 암 치료를 위해 일종의 비밀 생체실험에 참가하지만 실험 부작용으로 외모가 흉측하게 변해 버립니다. 그러자 분노에 치를 떨던 그는 자신을 이렇게 만든 'Ajax(에이젝스)'에 대한 복수를 결심하면서 베프인 'Weasel(위젤)'과 함께 자신의 새로운 호칭에 대해 심각하게 고민하게 되지요. 친구가 제안한 'Wade the Wisecracker (재기 넘치는 만담꾼 웨이드)', 'Scare-devil (간담을 서늘하게 하는 녀석)', 'Mister Never-die(절대 죽지 않는 남자)' 등이 그다지 마음에 들지 않아 표정이 일그러지려는 순간 "I put all my money on you and now just realize I'm never gonna win the dead pool (네가 곧 죽을 것이라는 것에 몰빵했는데 이제 내기에 건 돈 다 날리게 생겼다)"라는 베프의 한탄 섞인 불평 한마디에 웨이드의 눈빛이 번쩍(!)하지요. 그러면서 그는 "이제부터 내 이름은 'Captain Deadpool (데드풀 대장)'!"이라고 큰 소리로 외칩니다. 그리하여 그 때부터 그의 이름은 'Deadpool(데드풀)'이 되지요. 여기서의 'Dead pool (혹은 Deadpool)'은 '어떤 사람이 언제 죽을지 돈을 걸고 하는 내기'란 뜻이고요, 한마디로 남이 죽는 날을 맞추면 돈을 따는 일종의 도박이라고 하겠습니다. 음, 그렇다면 이 표현이 어떻게 이런 뜻을 갖게 됐는지 'Pool'의 어원을 따라 과거로 가보도록 합시다.

'Pool'의 첫 번째 어원은 '흐르지 않고 멈춰있는 물웅덩이'라는 뜻의 'Pol'로서, 여름이면 우리가 즐겨 찾는 'Swimming Pool (풀장)'이 여기서 유래한 것입니다. 그리고 두 번째 어원은 '암탉'을 뜻하는 프랑스어인 'Poule'인데요, 옛날 옛적 일부 유럽인들은 잔인하게도 암탉에게 물건을 던져서 맞추는 사람이 판돈을 쓸어가는 내기를 하곤 했다고 합니다. 처음엔 이를 '암탉 게임 (혹은 싸움)'이라고 불렀지만 시간이 흐르면서 'Poule'이 '돈을 걸고 하는 내기'

혹은 그러한 내기의 '판돈'을 의미하게 되었고, 이 'Poule'이 영국으로 넘어와 형태가 조금 바뀌면서 'Pool'로 정착된 것입니다. 그 후 이 'Pool'은 돈을 걸고 하는 카드 게임이나 포켓볼과 비슷한 당구 게임을 의미하다가 점차 내기에 '돈을 건 사람들' 혹은 이러한 게임에 그들이 건 '판돈'으로 의미가 확장되었다고 합니다. 그리하여 현재는 '내기', '판돈' 등의 뜻이기에 'Dead (혹은 Death) Pool'은 '어떤 사람이 언제 죽을지 맞추는 내기'가 된 것이죠. 한편 우리가 흔히 사용하는 '인력풀'과 '카풀'이라는 용어가 있는데요, 여기서의 '풀(Pool)'이 바로 앞서 소개한 '(내기에 돈을 건) 사람들'이란 뜻이기에 '인력풀(Workforce pool)'은 '특정 기술 혹은 기능을 가진 사람들'을, '카풀(Car pool)'은 '같은 차를 타고 가는 사람들', 즉, '차량 공유'를 의미하게 되었습니다. 여담입니다만, 'Pool'의 첫 번째 뜻에서 유래한 'Dead pool'이란 환경 전문용어도 있는데요, 이는 '저수량이 적고 물의 흐림이 멈춰 점차 소멸해가는 저수지 혹은 호수'를 뜻한다고 하니 참고하시기 바랍니다. 한마디로 이는 '말라 죽어가는 물 웅덩이'인 것이죠.

이번엔 'Deadpool'과 함께 이 영화의 공동 주연을 맡은 'Wolverine(울버린)'의 뜻에 대해서 알아보도록 합시다. 이 단어의 형태가 'Wolf'와 비슷한 것은 물론 영화 속 캐릭터의 외모 역시 늑대를 떠올리게 하기에, 또한 'Wolverine'의 본래의 뜻마저 '늑대처럼 행동하는' 혹은 '작은 늑대'이기에 늑대와 친척지간 일 것 같지만 울버린은 오히려 족제비와 비슷한 동물입니다. 옛날 우리 조상님들께서는 이 짐승이 늑대와 비슷하게 보인다고 생각하셨는지 이런 이름을 갖다 붙였지만 사진 상으로는 늑대도 족제비도 아닌 마치 작은 곰처럼 보이고요, 족제비 과에 속한 동물 중에선 가장 체구가 크죠. 또한 이 울버린은 주로 기온이 매우 낮은 북반구 북부에 살기에 얼어붙은 고기와 뼈도 잘 파먹을 수 있게끔 이빨이 아주 단단하고, 머리와 목, 어깨 근육이 잘 발달해 있습니다. 그리하여 이 동물은 쥐나 토끼는 물론 자신보다 덩치가 훨씬 큰 사슴까지도 쓰러뜨릴 정도로 힘이 아주 세며, 때때로 막 사냥에 성공한 코요테나 늑대 등을 위협해 먹잇감을 빼앗는 것에 더해 그들의 새끼까지 잡아먹는다고 합니다. 이처럼 성질이 난폭하고 포악하기에 시베리아 호랑이나 곰, 표범 등도 맞서 대적하기를 꺼린다고 하고요, 라틴어로는 'Gulo', 즉, '대식가'라고 불릴 만큼 식욕도 좋다고 하네요. 한편 영화 속 캐릭터인 '울버린'은 본래 19세기 캐나다의 한 부잣집에서 태어난 'James Howlett'라는 이름을 가진 인물이었지만 자신이 초능력자임을 깨닫고 집을 떠나면서 이름을 'Logan'으로 바꾸게 됩니다. 즉, 그의 본래 이름은 'James Howlett'이고, 개명한 새로운 이름은 'Logan'이며, 코드명은 'Wolverine'인 것이죠. 여담입니다만, 그의 본래 성씨인 'Howlett'은 실제로 존재하는 성씨로서, 그 뜻은 'the son of Hugh', 즉, 'Hugh'라는 사람의 아들이 되겠습니다. 'Hugh'는 이 캐릭터의 연기를 맡은 'Hugh Jackman'의 이름이기도 하며, 본래는 '마음', '정신' 등을 뜻하지요. 그리고 그의 새로운 이름인 'Logan'은 본래 스코틀랜드에서 유래한 성씨였지만 지금은 남녀 모두의 이름(First name)으로도 자주 사용되고요, 또한 캐나다에서 가장 높은 산의 명칭(Mount Logan)이기도 합니다. 원작자에 따르면 마블 캐릭터 중에서 체구가 가장 작은 '울버린'이기에 그의 고국인 캐나다에서 가장 높은 산의 이름을 붙여줬다고 합니다. 몸집은 작지만 뛰어난 싸움꾼이었던 '다윗'과 같은 존재가 되기를 바라는 마음에서 이런 이름을 붙여 준 것으로 보입니다.

그럼 이제 이 영화의 예고편에 나온 여러 가지 표현의 숨겨진 뜻에 대해서 알아 보고 결론으로 넘어가도록 하지요. 본 예고편은 '로건 (=울버린)'이 바에서 혼자 술을 홀짝거리고 있자 바텐더가 "You are not welcome here"라고 비아냥대는 것부터 시작합니다. 이는 직역하면 "넌 여기서 환영 받지 못해"이지만 숨어있는 뜻은 "여긴 너 같은 놈이 얼쩡거릴 곳이 아니야. 그러니 당장 꺼져" 정도 되겠죠. 그러자 딱 한 잔만 더하고 가겠다는 그에게 데드풀이 다가와서는 "Hi, peanut!"이라고 부르며 함께 싸우러 가자고 재촉합니다. 여러분들도 잘 아시다시피 'Peanut'은 본래 '땅콩'이지만 그 작은 크기로 인해 속어로는 돈으로 치면 '하찮은 푼돈', 사람으로 치면 '찌질이(?)'란 뜻이 있습니다. 비록 예고편에 담긴 공식 한국어 번역은 "이봐, 아저씨!"라고 돼있지만 저는 단어의 원뜻에 근거해서 "야, 찌질아!"라고 번역하고 싶네요. 그러자 울버린은 "Look, lady, I'm not interested"라며 심드렁하게 대꾸하죠. 상대가 남자임이 분명함에도 'Lady'라고 한 이유는 자신을 'Peanut'이라고 한 데 대해 맞받아 치는 동시에 상대방을 남자보다 근력이 약한 여자라고 부름으로써 은근히 무시하는 태도를 내비친 것이죠. 1990년대 인기 미드였던 'Weird Science'에서도 주인공 소년들을 괴롭히는 악당이 그들을 항상 "Hey, girls!"라고 부르며 싸움을 걸어오는데요, 이 역시 상대를 얕잡아 보는 태도를 반영한 것이라 하겠습니다. 음, 그런데 울버린이 한 말의 공식적인 한국어 번역은 "아가씨, 관심 없어"이지만 'Lady'라는 단어가 보통 어느 정도 나이가 지긋한 여성을 가리키기에 만일 저에게 번역을 맡긴다면 "아줌마, 난 관심 없거든!"이라고 해석할 것 같습니다. 이리하면 앞서 '아저씨'라고 번역한 'Peanut'과도 댓구를 이루기에 더더욱 그렇죠. 아마도 이 대사를 번역하신 분도 저와 같은 생각을 했을 수도 있지만…'아줌마'라고 해석해 놓으면 여성 비하적인 표현이라고 공격받을 가능성도 충분히 있기에 행여라도 발생할 수 있는 사태를 미연에 방지하기 위해서 상대적으로 가치 중립적인 '아가씨'라고 번역한 것으로 보입니다. 한편 'Peanut(s)'는 남성의 생식기를 의미하는 'Penis'의 발음이 비슷해 굉장히 조심해서 발음해야 할 단어이기도 한데요, 물론 그러한 이유로 스탠드업 개그나 코미디 영화에서 웃음의 소재로 자주 활용되기도 하죠. 여기서 코미디의 황제인 'Jim Carrey(짐 캐리)'가 주연을 맡은 1994년 작 'Ace Ventura(에이스 벤추라)'의 한 장면을 잠시 소개하면, 그가 비행기를 타고 가던 도중 여자 승무원이 "Peanut(땅콩 드실래요)?"하고 묻자 에이스 벤추라는 이와 발음이 비슷한 다른 단어로 착각했는지

"Yes, I have one right here. It's bulky but I consider it carry-on(네, 바로 제 바지춤에 잘 간수해 놓았습죠. 제 거시기는 크기가 엄청나지만 그래도 기내로 가지고 들어왔걸랑요)"라며 동문서답을 하지요. 그러자 여승무원이 그를 사납게 쏘아보더니 아무 말없이 땅콩 한 봉지를 그의 손에 쥐어 줍니다. 에이스 벤추라는 그제서야 "Oh, I see (아, 내 물건 얘기가 아니라 땅콩 얘기였군요)"라며 다소 민망한 표정을 짓지요. 참고로 '받아 적다'라는 뜻을 가진 'Jot down'이란 숙어도 발음에 굉장히 주의하셔야 합니다...그 이유는 각자 상상에 맡기겠습니다...

한편 같이 싸우러 가자는 말에 울버린이 삐딱하게 나오자 데드풀은 "I'm sort of on the tick-tick, upsy-daisy"라며 그를 억지로 일으켜 세워 강제로 끌고 가려고 하죠. 이 말의 공식 번역은 "지금 좀 급하니까 인나인나"로 되어 있는데요, 보통 시계 바늘이 '째깍째깍' 소리를 내며 1초 1초 지나가는 것을 'Tick'이라고 하기에 'on the tick-tick'은 "지금 우리가 이러고 있는 사이에 시간이 계속 흘러가고 있으니 더 이상 지체하지 말고 가서 싸우자", 즉, 한마디로 "지금 겁나 급하다"는 뜻이 되는 것이죠. 그리고 그 다음에 따라 나오는 'Upsy-daisy'는 엄마가 아기한테 해주는 말을 뜻하는 소위 '아기어'의 하나로서, 보통 아기가 넘어졌을 때 일으켜 세워 주거나 혹은 아기를 공중으로 높이 들어 올리면서 엄마가 아기한테 하는 말입니다. 따라서 우리말로는 "우리 아가 이제 인나자" 혹은 "아이구 예뻐라, 우리 아가" 정도의 뜻이 되는 것이죠. 이 말은 본래 태생이 구어(口語)이기에 특별히 정해진 철자가 없고요, 'Oopsy daisy', 'whoops a daisy', 'ups-a-daisy'라고도 한다고 하네요. 한 가지 놀라운 것은, 이 표현이 등장하는 최초의 기록이 '걸리버 여행기'의 저자인 'Jonathan Swift(조나단 스위프트)'가 쓴 'The Journal to Stella (스텔라에게 보내는 일지, 1711년)'에서 발견되었다는 것입니다. 여담입니다만, 그는 유복자로 태어나 노년엔 정신장애로 고생하기도 했건만 영문학사에 참으로 많은 공적을 남긴 것 같습니다.

다시 데드풀과 울버린의 이야기로 돌아가서, 이렇듯 자신의 의사를 완전히 무시하고 강압적으로 나오는 데드풀에게 엄청 화가 나버린 울버린은 그와 맞서 싸우기 위해 강철로 된 '클로(Claw, 손톱)'를 뽑아 내려고 하지만 제대로 나오지가 않죠. 그러자 데드풀은 "Whiskey dick of the claws"라는 드립을 날립니다. 'Whiskey dick'이란 술을 많이 마셨을 때 남자의 가장 소중한(?) 물건이 제대로 말을 듣지 않는 것을 뜻하고요, 공식 해석은 "클로(Claw) 부전이네"이라고 되어 있으니 여기서 상세히 설명하지 않아도 대충 무슨 말인지 이해하실 수 있겠죠. 참고로 'Dick'은 앞서 소개했던 'Penis'와 마찬가지로 남자의 생식기를 뜻하는 속어이기에 'Whiskey dick'을 글자 그대로 번역하면 '술에 쩔어버린 거시기'정도 되겠네요. 그리고 그는 "It's quite common in Wolverines over 40 (마흔이 넘은 울버린에게는 흔한 증상이지)"라고 한마디 더 덧붙입니다. 이 말은 나이 40이 넘으면 신체의 여러 곳이 (심지어 남자의 가장 귀중한 부위마저!) 제대로 말을 듣지 않는다는 뜻이죠. 그러자 울버린은 "You don't want this (나 정말 이러기 싫어)"라며 싸우지 않고 상황을 벗어나려고 합니다만, 데드풀은 이런 그의 이마에 총을 갖다 대고는 이마에 구멍이 나 그리로 숨쉬기 싫으면 "I suggest you reconsider(다시 생각해 봐)"라고 하지요. 아마도 영화 전편을 통해서 이 대사가 제일 점잖으면서도 평소에 우리가 자주 활용할 수 있는 표현인 것 같습니다. ^^. 생략된 단어까지 모두 포함해서 이 문장 전체를 다시 풀어 쓰면 "I suggest that you should reconsider"가 되겠죠.

그리고 나서 이 둘은 한바탕 싸움을 벌인 후 다시 대화 모드로 돌아갑니다. 이번에도 역시 데드풀이 울버린에게 이 세상을 구하기 위해 함께 가자고 계속 설득하면서 "Want to talk about what's haunting you, or should we wait for a third act flashback?"이라고 하자 울버린은 "Uh, go f*** yourself (엿 먹어)"라고 대꾸하죠. 먼저 "Want to talk about what's haunting you..."는 "네가 뭐 때문에 그렇게 괴로운지 먼저 얘기해볼래?"라는 뜻이고요, 여기 나오는 'Haunt'는 '(불쾌한 생각이) 뇌리에서 떠나지 않고 계속 떠오르다'라는 뜻입니다. 참고로 'a haunted house'는 '귀신 나오는 집'이죠. 쉽게 말해서 불쾌한 생각이나 귀신이 떠나지 않고 계속 우리 머리 속 혹은 집에 출몰하는 것이 바로 "Haunt'입니다. 그 다음에 따라 나오는 "~Should we wait for a third act flashback?"의 공식 번역은 "회상 씬 나올 때까지 기다릴까?"이지만 이는 이렇듯 간단치가 않습니다. 우선 'Flashback'은 '드라마나 영화에 나오는 옛 기억이나 회상 장면'을 뜻하고요, 심리학 용어로는 '과거의 경험이 갑자기 기억에 떠오르면서 그에 심하게 사로잡히는 것'을 의미하지요. 그리고 그 앞의 'a third act'는 '3막 (서론-본론-결론)으로 구성된 영화에서 갈등이 최고조에 이른 결론 부분'을 뜻합니다. 즉, 제일 처음의 제1막(First act, 서론)에서는 극의 인물 및 배경이 소개됨과 동시에 스토리를 이끌어 나가는 주요 사건이 발생하고, 제2막 (Second act, 본론)은 극의 딱 중간 부분으로서 주인공과 악당의 대립이 점차 고조되며, 제3막(Third act, 결론)에서는 등장 인물들 간의 갈등이 폭발한 후 사건이 해결되며 영화가 끝나지요. 따라서 "Should we wait for a third act flashback?"이란 ①"(네가 그냥 속 시원하게 뭐가 너를 제일 괴롭히는지 얘기할래 아니면) 내가 아주 그냥 찐하게 농축해서 네 과거에 대해서 한번 까발려 볼까?" 혹은 ②"(뭐가 너를 그리 괴롭히는지 얘기하기 싫다면) 이 영화에 네 아픈 과거를 요약한 회상 씬이 나올 때까지 기다릴래?"라는 뜻으로 보입니다. 그러면서 데드풀은 울버린에게 너는 진정한 'X-Man(엑스맨)'이니 이 세상을 구하러 같이 싸우러 가자고 계속 설득하죠. 그리고 결국엔...뭐, 뻔하죠, 울버린이 싸우러 가지 않는다면 영화 자체가 만들어지지 않을 테니 이 둘은 함께 길을 나섭니다. 이들이 함께 싸우러 뛰어갈 때 뒤 배경에 'Copperheads'라는 바(Bar)의 간판이 살짝 보이는데요, 간판에 그려진 뱀의 그림이 암시하듯 이는 살모사의 한 종류입니다. 우리말로 직역하면 '구리 대가리' 정도의 뜻이 될 텐데, 이 뱀의 머리가 구리 빛 깔이기에 붙여진 이름이라고 합니다. 또한 이 'Copperhead(s)'는 미군이 보유한 유도탄의 이름이기도 하고, 미국 남북전쟁이 발발하기 전 전쟁 대신 남군과 평화 협상을 하자고 주장한 민주당의 한 계파인 'Peace Democrats(평화민주당)'의 별칭이기도 하지요. 끝으로 이 'Copperhead(s)'는 슈퍼 히어로인 '배트맨'의 적수 중 하나인 빌런(Villain)의 이름이기도 합니다.

그 후 이 둘이 세계 평화를 위협하는 악당과 맞서 싸우려는 바로 그 순간, 데드풀은 "I'm soaking wet right now(나 흠뻑 젖었어)"라고 한마디 하죠. 소나기를 흠뻑 맞고서도 물론 이렇게 얘기할 수 있겠지만 공식 번역인 "나 지금 완전 흥건해"와 같이 어찌 보면 이는 굉장히 성적(性的)인 표현이라고도 할 수 있습니다. 자세한 건 각자의 상상에 맡깁니다. ^^.

이제 마지막으로 데드풀이 그의 '룸메'이자 시각장애인 여성인 'Blind Al(블라인드 앨)'과 나누는 찰진 만담과 그 뜻을 소개하도록 하겠습니다만...그 전에 여러분들이 반드시 기억해야 할 것은 이러한 용어들을 영어를 공부하는 차원에서 참고로만 알고 있어야지 평소에 직접 사용하거나 행여라도 이 용어들이 가리키는 대상에 대해 잘못된 호기심을 가져서는 절대(!) 안된다는 것입니다. 이 말 명심하시기 바라며, 그럼 지금부터 시작해 보도록 하지요. 그녀가 "Want to do some cocaine (*카인 좀 할래)?"라고 하자 데드풀은 "Cocaine is one thing that Feige said is off limits"라고 대꾸하죠. 이 말의 공식 번역은 "파이기가 *카인만은 절대 안된댔어"입니다만 바로 이 순간 우리 머리속에 한가지 의문이 생겨나죠. 그건 바로 '파이기(Feige)'가 누구냐는 것. 아마 아시는 분도 계시겠지만 그는 바로 이 영화의 제작자이자 마블 스튜디오의 사장인 'Kevin Feige(케빈 파이기)'가 되겠습니다. 그렇기에 만일 제가 번역가라면 "우리 마블 사장님이 *카인만은 절대 안된댔어!"라고 번역하겠습니다. 그래야만 '파이기'의 정체가 드러나는 동시에 영어 원문도 살릴 수 있을 테니까요. 한편 "off limits"는 말 그대로 '범위(Limits)를 벗어나는(Off)', '한도 (Limits) 밖의(Off)' 뜻이기에 돌려 말하면 '출입금지의', '허락되지 않는' 등의 의미입니다. 그리고 나서 이들은 'Bolivian marching powder', 'Disco dust', 'Snowboarding', 'White girl, interrupted', 'Forest bump', 'Build(ing) a snowman' 등 *카인을 의미하는 온갖 속어를 다 끄집어내지요. 제일 먼저 'Bolivian marching powder'의 속뜻은 '볼리비아산 *카인'이고요, 'Marching powder'는 본래 먼 길을 떠날 때 발에 물집이 생기지 않도록 양말 안에 넣는 활석(Talcum) 등과 같은 흰 가루를 뜻합니다. *카인 역시 하얀 색 가루이기에 이 말이 *카인을 뜻하는 속어가 된 것이죠. 'Bolivian' 대신 'Peruvian' 혹은 'Columbian'이라고 해도 같은 뜻입니다. 널리 알려진 데로 중남미가 미국의 주된 마약 공급처이기에 이러한 별칭이 붙은 것이고요. 음, 그런데 몇 년 전 '수리남'이라는 제목의 우리 영화도 해당 국가와 외교적인 문제가 있었는데요, 중남미에 다른 나라도 많은 데 왜 굳이 영화 대사에 '볼리비아산'이라고 했는지 궁금하군요.

두 번째로 'Disco dust'는 케이크 위에 뿌리는 반짝반짝 빛나는 장식재로서 주로 가루 모양을 하고 있습니다. 식재료가 아닌 장식재이기에 먹어서는 안되고요, 빨강-파랑-보라 등 다양한 색상이 있지요. 이 역시 속어로는 *카인을 뜻합니다.

그 다음은 'Snowboarding'인데요, 이는 말 그대로 스노우 보드를 타는 것이죠. 앞서 언급했듯이 *카인이 눈과 같이 흰색이기에 이를 흡입하고 약에 취한 상태를 스노

우 보드를 타고 하얀 눈을 가르며 슬로프를 내려가는 것
에 비유한 것으로 보입니다.

네 번째는 'White girl, interrupted'입니다. 공식 번역
은 '처음 만나는 자유'라고 돼있는데요, 그 이유는 '안젤
리나 졸리'와 '위노나 라이더'가 주연을 맡은 1999년도
영화 'Girl, interrupted'의 우리말 제목이 '처음 만나는 자
유'이기 때문입니다. 영화의 내용에 근거해서 저런 한국
어 제목을 갖다 붙였는지는 몰라도 원문의 뜻과는 너무
나도 동떨어진 다소 황당한 제목이죠. 이 영화의 내용을
한 줄로 요약하면 정신병원에 갇힌 두 소녀가 겪는 젊은
날의 우정과 방황이라고 할 수 있을 테고요, 아마도 'Girl,
interrupted'의 뒤에 'by poor mental health (정신적인 방
황, 정신병)' 또는 'by institutional control (정신병원과 같
은 외부 세력의 통제)'이 생략된 것으로 보입니다. 따라
서 영어 제목을 우리말로 그대로 해석하면 '소녀, 방해를
받다'가 되고, 이를 풀어 쓰면 '정상적으로 성장해야 할
소녀의 정신과 신체가 정신병 혹은 외부의 영향에 의해
방해 받고 멈춰버렸다' 정도가 될 것 같습니다. 이 제목
을 패러디한 'White girl, interrupted'에서 'White girl'은
하얀 색 가루인 *카인을 의미하고요, 제 판단에는

'interrupted' 뒤에 'me'가 생략된 것 같습니다. 만일 그렇다면 '하얀 소녀(=*카인)가 내 온전한 정신을 끝장냈네(혹은 나를 뽕 가게 했네)' 등의 뜻이 되겠죠. 여담입니다만 1970년대 큰 인기를 끌었던 'Bridge over troubled water (험한 세상에 다리가 되어)'라는 팝송에 '~sail on silver girl'이라는 가사가 나오는데요, 이 'Silver girl'이 마약 주사 바늘을 가리킨다는 루머가 있었죠. 이러한 루머를 불식시키기 위해 이 곡의 작사가는 'Silver girl'이 자기 부인의 머리에 생긴 흰 머리(Gray hair)를 뜻한다고 공식적으로 밝히기도 했습니다.

다음 차례 역시 이와 마찬가지로 영화 제목을 패러디한 'Forest Bump(포리스트 범프)'이고요, 이는 너무나도 유명한 영화인 'Forest Gump(포리스트 검프)'를 살짝 비틀어 놓은 것이죠. 먼저 그 원조격인 영화 제목부터 들여다 보면 이는 발달장애를 앓고 있는 주인공의 이름인데요, 속어로는 '숲 속에 사는 바보' 정도의 뜻이지만 영화를 위해서 만들어낸 가공의 이름이 아닌 실제 존재하는 이름입니다. 'Forest'는 여러분들도 잘 아시는 흑인 배우 'Forest Whitaker(포리스트 휘태커)'의 이름(First name)이기도 하죠. 그리고 'Gump'는 본래 '전쟁'이란 뜻을 가진 독일에서 유래한 성씨입니다. 이를 패러디한 'Forest Bump'에서 'Bump'는 놀이동산에서 흔히 볼 수 있는 '범퍼 카(Bumper car)'에서도 알 수 있듯이 본래 '~에 부딪히다'라는 뜻이고요, 'bump into'는 '~와 부딪히다' 혹은 '우연히 만나다'라는 의미입니다. 그리고 명사로서 'Bump'는 '(단단한 것에 부딪혔을 때 나는) 쿵하는 소리', '혹, 타박상' 등의 뜻인데...속어로는 '약을 흡입하다', '소량의 마약'을 의미하기도 합니다.

마지막으로 'build(ing) a snowman'에 대해서 알아보도록 하겠습니다. 이는 인기 애니메이션인 '겨울왕국(Frozen)'에 나오는 대사이자 노래인 "Do you want to build a snowman(눈사람 만들래)?"에서 따온 것이기도 하고, 대개 영미권에서는 '눈사람을 만들다'라는 말을 'make a snowman' 대신 'build a snowman'이라고 합니다 ('make a snowman'이라고 해도 물론 알아는 듣습니다). 이 역시 그 속뜻은 *카인을 한다는 말인데요, 앞선 'Snowboarding'에서와 마찬가지로 'Snow'가 눈처럼 하얀 *카인을 가리킵니다. 이런 패러디 표현을 척척 잘도 만들어 내는 걸 보면 그 분들 참 머리도 좋은 것 같습니다. 헌데 왜 그 좋은 머리를 마약으로 오염시키고 파괴하는 것일까요? 자기 인생이니 각자 알아서들 하시기 바랍니다만...그래도 안타까운 일입니다.

자, 그럼 여기서 이 장의 결론과 함께 이 책도 마무리 하도록 하겠습니다. 이를 위해 앞서 잠시 소개했던 '데드풀 1편'에서 그가 새로운 이름을 짓는 장면으로 되돌아 가보도록 하지요. 여러 (이름) 후보 중 그는 결국 'Weasel(위젤)'이 언급한 'Deadpool'을 자신의 새로운 이름으로 정하게 되는데요, 그의 베프이자 정보원이자 무기 공급책인 'Weasel'의 본명은 'Jack Hammer(잭 해머)'이지만 보통 'Weasel'로 불립니다. 이는 마치 'Wolverine'의 본명은 'Logan'이지만 보통 그의 코드명인 'Woverine'으로 불리는 것과 같은 것이지요. 그런데 여기 재미있는 사실이 하나 숨겨져 있는데요, 그것은 바로 'Weasel'이 '족제비'를 의미하기에 (앞서 소개한 것과 같이) 'Wolverine'과는 친척 사이라는 것이죠. 참고로 영어에는 'Weasel', 'Stoat', 'Polecat', 'Ermine', 'Ferret' 등과 같이 우리말로 '족제비'를 의미하는 단어들이 굉장히 많습니다만 'Weasel'이 가장 일반적이면서도 범위가 가장 넓은 단어입니다. 즉, 'Stoat'는 '북방족제비', 'Polecat'과 'Ermine'은 '유럽족제비', 'Ferret'은 '길들여진 반려 족제비'를 의미합니다만 이들 모두를 'Weasel'이라고 부를 수 있다는 것이 죠. 또한 'Marten(담비)', 'Mink(밍크)', 'Otter(수달)', 'Badger(오소리)'에 더해 이 장의 주인공인 '울버린'도 모두 '족제비 과'에 속하기에 '울버린'과 '위젤'은 굉장히 가까운 친척 사이라고 할 수 있지요. 음, 그렇다면 이렇게 생각할 수도 있지 않을까요? 이미 '데드풀1편'에 '데드풀과 울버린'이라는 영화가 만들어 질 것이라는 복선이 깔려 있다고 말이죠. 왜냐면 '울버린'의 친척이자 생물학적으로 상위 개념인 '위젤'이 1편에 먼저 나와 자신과 비슷한 녀석이 앞으로 너랑 같이 나올 것이라는 예고를 했으니 말이죠. 뭐, 이건 순전히 제 생각이긴 합니다만. ^^.

한편 'Weasel'의 한 종류이자 역시 '울버린'과 친척 사이인 'Ferret'은 앞서 소개한 대로 '반려 동물화된 족제비'를 뜻하는데요, 최근 한국에서 선풍적인 인기를 끌고 있는 골프에서 이 단어는 '그린(Green) 밖에서 퍼터(Putter)를 제외한 골프채로 공을 쳐서 홀에 집어 넣은 것'을 가리킵니다. 즉, 버디 (홀 당 규정 타수보다 1타 적게 친 것), 이글 (2타 적게 친 것), 알바트로스 (3타 적게 친 것)는 물론 홀인원까지도 포함하는 매우 훌륭한 샷을 가리킨다는 것이죠. 아울러 'Golden ferret'은 골프계 속어로 '벙커에서 친 샷이 그대로 홀에 빨려 들어간 것'이 기에 이는 골퍼가 일평생 한 번 경험할까 말까 한 실력과 운이 조화를 이룬 신묘한 샷이 되겠습니다. 골프에서 이 족제비(Ferret)가 의미하는 바와 같이 족제비의 사촌인 울버린이 등장하는 이 영화가 주인공들의 'LFG (Let's *ucking go, X나게 한번 가보자)'라는 말처럼 천만 관객까지 갈 수 있도록, 그래서 무더운 이 여름에 대박 날 수 있기를 바라면서, 이 장과 이 책을 여기서 마치도록 하겠습니다. 우리 모두 LFG! ^^.

- 4편에서 계속 –

참고 자료

Wikipedia

Naver 영어 사전

https://www.etymonline.com/

https://www.hani.co.kr/arti/society/environment/1134692.html

https://thehistoricallinguistchannel.com/fun-etymology-tuesday-reindeer/

https://nameberry.com/b/boy-baby-name-misery

https://au.teysgroup.com/food-info/having-beef/

https://www.yeongnam.com/web/view.php?key=20200217010002818

https://www.moef.go.kr/sisa/dictionary/detail?idx=263

https://www.catholictimes.org/article/201704300190614

https://www.traveltimes.co.kr/news/articleView.html?idxno=25314

https://www.segye.com/newsView/20160724001452

https://www.777english.co.kr/blog/?q=YToyOntzOjEyOiJrZXl3b3JkX3R5cGUiO3M6MzoiYWxsIjtzOjQ6InBhZ2UiO2k6Njt9&bmode=view&idx=13456347&t=board&category=946QP020f2

https://blog.naver.com/gip0328/222102156210

https://m.blog.naver.com/englishpilot/222033807847

https://munhwa.com/news/view.html?no=2016100601032212000002

https://www.segye.com/newsView/20160724001452

https://viennadollmuseum.com/web/bbs/board.php?bo_table=contents2

https://poultryeu.eu/history-of-chicken-nuggets

https://nownews.seoul.co.kr/news/newsView.php?id=20240408601010

https://www.asiae.co.kr/article/2019070511011324516

https://www.freecolumn.co.kr/news/articleView.html?idxno=1103

https://www.livescience.com/62807-why-storks-baby-myth.html

https://www.bbc.com/future/article/20230119-the-weird-history-of-baby-myths

https://storks.com/legend-of-storks/

https://www.livescience.com/39316-birds-and-the-bees.html

Youtube 채널, '근황 올림픽', '에메랄드 캐슬 및 지우 편'

https://brunch.co.kr/@radinrama/12

http://www.lec.co.kr/news/articleView.html?idxno=724939

유경희, 열린책들, 위대한 유산, 2015년

https://www.donga.com/news/Culture/article/all/20080118/8534977/1

https://www.hani.co.kr/arti/animalpeople/human_animal/857687.html

http://newsteacher.chosun.com/site/data/html_dir/2022/09/28/2022092800133.html

https://www.phrases.org.uk/meanings/ups-a-daisy.html